DE L'INFLUENCE DE DAVID BOWIE
SUR LA DESTINÉE DES JEUNES FILLES

Jean-Michel Guenassia est né en 1950. Avocat puis scénariste et auteur dramatique, il se consacre en 2002 à l'écriture du *Club des Incorrigibles Optimistes*, roman phénomène pour lequel il reçoit le Goncourt des lycéens en 2009. On lui doit également *La Vie rêvée d'Ernesto G.*, *Dernière donne*, *Trompe-la-mort* et *La Valse des arbres et du ciel*.

JEAN-MICHEL GUENASSIA

De l'influence de David Bowie sur la destinée des jeunes filles

ROMAN

ALBIN MICHEL

© Éditions Albin Michel, 2017.
ISBN : 978-2-253-23791-4 – 1ʳᵉ publication LGF

« Car enfin, tout au moins quand on est jeune, dans cette longue tricherie qu'est la vie, rien ne paraît plus désespérément souhaitable que l'imprudence. »

Françoise SAGAN, *Un certain sourire*

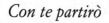

Con te partirò

Je suis lesbien, une espèce d'homme incertaine, non dénommée, pas commentée, peu évoquée. Et pas recommandable. Pour me caractériser, le même substantif revient comme un leitmotiv : ambigu. Certaines disent : équivoque.

Tant pis pour elles.

Moi, je me plais dissimulé dans le clair-obscur. Ou perché tout en haut, comme un équilibriste au-dessus du vide. Je refuse de choisir mon camp, je préfère le danger de la frontière. Apparemment, ni vraiment l'un, ni vraiment l'autre. Si un soir vous me croisez dans le métro ou dans un bar, vous allez obligatoirement me dévisager, avec embarras, probablement cela vous troublera, et LA question viendra vous tarauder : est-ce un homme ou une femme ?

Et vous ne pourrez pas y répondre.

Vous me scruterez, vous me détaillerez, mais mon corps, camouflé derrière un duffle-coat bleu informe, ne délivrera aucun indice. Et vous resterez dans l'incertitude. Et le trouble. De toute façon, c'est moi qui décide. Si je sors du no man's land ou si j'y reste. Et si je ne le veux pas, vous ne saurez jamais ce que je suis.

Si vous pensez qu'il s'agit d'un état grivois, qui laisse entrevoir la promesse de délices sexuelles et de turpitudes affriolantes, si telle a été votre réaction, c'est que vous êtes profondément stupide et, sur ce point, ma petite expérience me permet d'affirmer qu'hommes et femmes sont logés à la même enseigne. Le sexe ne m'intéresse pas plus que ça, sauf lorsqu'il est l'aboutissement d'un long désir, impossible à contenir. Ce qui m'attire, c'est de jouer avec les lignes, c'est de découvrir le mystère de l'inconnu. Que les choses soient claires, au moins sur un point, si je peux avoir l'apparence d'une femme, je ne suis pas homosexuel, je n'ai jamais éprouvé d'attirance pour un autre homme, et jamais eu envie de tenter cette expérience, d'ailleurs les homos me laissent tranquille car ils me prennent pour une femme. Par contre, j'ai arrêté de compter le nombre d'abrutis qui m'ont accosté en me susurrant à l'oreille : «T'as de beaux yeux, tu sais.» Rien n'est plus réjouissant que de les voir se dissoudre dans leur jus, quand je réponds d'une voix grave : «Pas toi.» C'est amusant (ou triste) de voir à quel point on ne sait rien des autres, on se contente de projeter sur eux nos propres fantasmes, en espérant qu'ils trouveront un écho.

J'essaye d'échapper à cette fatalité.

J'ai une apparence trompeuse, je parais plus grand qu'en réalité car je suis filiforme, presque anguleux ; arlequin blondinet avec des cheveux mi-longs ondulants, imberbe, il suffit d'un rien pour que j'aie un air efféminé mais je me contrôle suffisamment pour le paraître uniquement quand je le souhaite ; je ne me maquille pas, je ne mets pas de fond de teint ni de rouge à lèvres, je ne porte pas de robes ni de bijoux, j'utilise des vêtements anodins : pantalons et chemises noirs, mocassins. Je glisse à volonté d'un sexe à l'autre : un geste, un sourire, une manière de vous regarder. Homme ou femme, on nous identifie au premier coup d'œil. Notre sexe se lit sur notre visage.

C'est horrible.

Moi, en une seconde, je décide d'être un homme ou une femme, mais je refuse de choisir entre les deux parties de moi-même et, quand ça me chante, je suis l'un ou l'autre, le temps qu'il me plaît. J'ai la chance de pouvoir me soustraire à ces poncifs qui nous écrasent, à ce marquage indélébile, la chance de bénéficier d'un doute. Je tiens à garder ce luxe.

Après l'apparence et l'attitude, c'est la voix qui décide. Peut-être parce que j'ai l'oreille absolue, j'ai la chance de pouvoir en jouer à loisir, d'y mettre un peu de lumière, de m'exprimer du gosier comme un homme ou avec le ventre, comme la plupart des femmes. À ce jour, ma voix ne m'a jamais trahi.

Je suis un homme à l'apparence aléatoire, et j'aime les femmes. Uniquement. Contrairement à ce que m'a lancé Mélanie (la numéro 3 ou 4, cela dépend de la manière dont on compte), je ne suis pas un homosexuel refoulé, elle n'a rien compris, je suis un hétéro heureux. Finalement, il n'y a que ma mère pour être persuadée que je suis homosexuel. (Au fait, pourquoi est-ce toujours plus facile de se définir par ce qu'on n'est pas ?)

Une anecdote vous fera mieux comprendre ce que j'ai vécu. C'est mon plus vieux souvenir. Je devais avoir quatre ou cinq ans. Quand on se promenait avec Léna aux Buttes-Chaumont, ce qui n'arrivait pas souvent, on se tenait par la main, car elle avait une aversion inexpliquée pour les poussettes, on s'arrêtait de temps en temps sur un banc pour se reposer, il y avait souvent d'autres femmes avec des enfants qui voulaient engager la conversation. Ce n'était pas facile, car ma mère a toujours détesté ces papotages débiles, elle répondait par monosyllabes à leurs questions et essayait de m'entraîner plus loin. Les femmes me fixaient avec un grand sourire, quelques-unes réussissaient à me caresser la joue et finissaient toutes par demander : « C'est une fille ou un garçon ? » Ma mère me dévisageait et répondait : « J'en sais encore rien. »

*

Je suis né sous le signe de la complication, avec une ascendante qui m'a plombé la vie. Enfin, pas toujours. Chez elle ce n'est pas volontaire, elle aussi est profondément différente, disons qu'elle n'est pas facile à vivre. À moins que ce ne soit moi qui aie un don particulier pour tout embrouiller. C'est possible, je m'emmêle parfois moi-même, et à l'exception d'Alex, tous les gens qui m'approchent disent qu'ils

14

ont un peu de mal à me suivre. Alex, c'est différent. Lui aussi est un peu particulier, je vous en parlerai plus tard.

Ou peut-être pas.

Je vous raconterai également dans quelles circonstances grotesques j'ai été amené à me lancer dans la rédaction de ce récit qui me donne le plus grand mal. Vous verrez, ce n'est pas triste. Ou je ne vous le dirai pas, parce que je ne suis pas certain d'y arriver, et qu'il y a des choses que je ne suis pas prêt à révéler. Pas encore.

*

Je suis adossé à l'extérieur d'un McDo. Dans la salle il faisait une chaleur à crever (c'est un mauvais point). Je m'apprêtais à passer commande, quand j'ai ressenti un vertige, avec une fébrilité inconnue dans la poitrine, j'ai eu la certitude que j'allais mourir immédiatement. Ce n'était dû ni au brouhaha, ni à l'effervescence du coup de feu de midi, mais alors que je faisais la queue, j'ai eu le sentiment d'être vieux et usé, d'avoir au moins quatre-vingt-dix-neuf ans, et le vieux con que j'étais devenu contemplait le jeune con que je suis, avec cette conscience effroyable que ma vie m'échappait, que je me laissais flotter sur la vague des événements qui m'entraînaient où ils voulaient sans que je puisse rien faire pour décider de mon destin, et que ce serait ainsi jusqu'à mon dernier souffle, j'ai passé mon tour et je suis sorti respirer à l'air libre.

J'ai allumé une cigarette. Je n'ai jamais été enclin aux états d'âme, aux grandes questions existentielles ; au contraire, je déteste les analyses et la psychologie, c'est de la foutaise. Les psys, j'en ai fréquenté quelques-unes au collège et en dehors – j'étais, disaient-elles, un enfant difficile à cerner –, ce sont des emmerdeuses et des perverses qui, avec leurs sourires mielleux, essayent de vous faire cracher le morceau en jurant qu'on peut leur faire confiance.

Quand j'étais petit, Stella voyait bien que quelque chose n'allait pas, que j'avais des problèmes à l'école, que je récoltais des mauvaises notes, des avertissements, à cause des bagarres à répétition, de la discipline, elle a tellement bassiné Léna que cette dernière a cédé et a accepté que je voie une psy, mais ma mère savait que c'était peine perdue. Elle avait raison, ça n'a servi à rien. J'ai continué sur ma lancée. Je me bagarrais souvent parce que des petits cons me traitaient de pédé et que je réagissais comme je pouvais avec des coups de tête, des coups de poing, je griffais, je mordais, mais je n'étais pas costaud, à chaque fois je prenais des raclées. Dans la cour de l'école, j'ai toujours été seul contre les autres, ce n'était pas facile à vivre, je ne voulais pas dire pourquoi je me bagarrais, à l'époque j'en avais un peu honte, je voyais que j'étais différent des autres garçons, quand j'étais avec eux j'avais l'impression d'être un Martien, je pensais que je n'étais pas normal, je me disais que c'était de ma faute mais je ne comprenais pas pourquoi j'étais si dissemblable. Il n'y a qu'Alex qui ait pris ma défense, qui se soit battu à mes côtés, c'est comme ça qu'on est devenu copains. Le seul que j'aie jamais eu. J'ai enchaîné les séances chez les psys, elles voulaient que je parle, mais je ne disais rien. J'ai compris que je devais la fermer. J'étais capable de rester muet pendant les quarante-cinq minutes de la séance. Et ça les emmerdait. Mais si on leur parle à elles, c'est la preuve qu'on n'arrive pas à communiquer avec les autres, ceux à qui on devrait parler. Non ? Alors à quoi ça sert ? Je n'avais rien à leur dire. C'est avec ma mère que j'aurais aimé parler. Mais elle, question psychologie, c'est un vrai sujet de thèse.

Voilà. L'essentiel est dit.

*

Je suis Paul, avec mes bosses et mes creux, j'ai dix-sept ans et des poussières et pas de surnom, j'ai horreur de ça. J'ai deux mères et je ne laisserai personne dire que c'est un bonheur ou une félicité. Peut-être que les orphelins affirmeront que c'est une aubaine, mais les orphelins, je les emmerde, ils ne savent pas la chance qu'ils ont de vivre seuls.

Ma mère s'appelle Léna. En réalité, son prénom, c'est Hélène, mais elle le déteste, il n'y a que moi quand je veux l'embêter qui l'appelle ainsi. Un dimanche matin au petit déjeuner, elle était de bonne humeur, ou plutôt elle était maternelle (cela lui arrive environ une fois par an), je lui ai dit que moi j'aimais bien son prénom, je lui ai demandé pourquoi elle le rejetait, elle a paru surprise par ma question, comme si elle ne se l'était jamais posée, elle a fixé sa tartine de pain beurré avec de la marmelade d'oranges dessus, elle est restée plongée dans de lointaines pensées, puis elle a haussé les épaules et murmuré :

— Parce que c'est mes parents qui me l'ont donné.

J'ai cru que le moment était venu de se parler enfin, qu'elle allait me raconter l'histoire de sa famille, dont j'ignorais tout.

— Mais pourquoi ? Qu'est-ce qu'ils ont fait ?

Elle a contemplé sa tartine grillée un long moment, a léché la marmelade qui allait tomber.

— Va te faire foutre !

J'ignore toujours ce qui s'est passé, si j'ai des grands-parents, des oncles, des tantes, des cousins, c'est le black-out intégral. Elle s'appelle Martineau. Comme moi. Mais des Martineau, il y en a un million dans l'annuaire. Un soir, à la fermeture du restaurant, j'ai demandé à Stella si ma mère lui en avait parlé. J'ai bien vu à sa tête que c'était une question embarrassante. Elle a longuement hésité.

— Non, rien de rien. C'est un sujet à ne pas aborder.

Stella ne s'appelle pas Stella. Elle s'appelle Estelle. Mais elle trouve que ça fait péteux et que Stella, c'est mieux. Stella est la compagne de ma mère. Elle a huit ans de plus qu'elle. Cela fait douze ans qu'elles sont ensemble. Stella est ce qui est arrivé de mieux à ma mère dans sa vie, c'est cette dernière qui le dit. Pour une fois, je suis d'accord avec elle. Elle l'a répété à nouveau en portant un toast, quand on a fêté les quarante-cinq ans de Stella, la semaine dernière, devant la foule de leurs copines réunies.

Encore une fois, j'étais le seul mec dans l'assistance.

Elle a pris un air anormalement sérieux, presque grave, quand elle a réclamé le silence. Comme si elle allait annoncer une mauvaise nouvelle. Stella a froncé les sourcils, inquiète. Ma mère a bu sa coupe de champagne d'un trait et a exigé que personne, elle a insisté : personne ! ne lui souhaite plus jamais son anniversaire. Elle allait vers ses trente-sept ans et ne voulait plus qu'on le lui fête ou que quiconque lui fasse de cadeau. Il paraît qu'il n'y a pas de raisons de se réjouir. J'ai découpé les gâteaux, par principe j'essaye toujours de faire des parts inégales, j'en ai donné une plus petite à ma mère.

— Et moi, je suis pas la meilleure chose qui te soit arrivée dans la vie ?

Léna est coutumière de ce genre d'annonces. Une fois, en achetant des ampoules au supermarché, elle nous annonce que, désormais, elle sera végétarienne. Une autre fois, en regardant un reportage sur la fonte de la banquise à la télé, qu'elle va léguer son corps à la science.

Une seconde avant, elle n'y pensait pas.

Ensuite, c'est comme si toute sa vie en dépendait, elle s'y accroche, et personne ne peut la faire changer d'avis. C'est un des rares traits de caractère que nous ayons en commun. Je suis aussi buté qu'elle, prêt à me laisser fusiller plutôt que de reconnaître que j'ai dit ou fait une connerie. Surtout quand je m'en rends compte. C'est-à-dire assez souvent. Par contre, ma mère est toujours impulsive et irréfléchie. C'est ce qui fait son charme, affirme Stella quand elle se retient d'exploser à une de ses lubies. Par exemple, quand elle débarque dans la cuisine au moment où Stella prépare des crêpes, comme elle l'a toujours fait pour la Chandeleur, qu'elle pique une colère contre cette bouffe de merde qui lui sort par les yeux, qu'elle jette la préparation dans l'évier et nous prévient qu'elle ne veut plus entendre prononcer le mot «crêpe» dans cette maison. Ou quand elle se trouve une nouvelle copine au *Studio*, à la vie à la mort, la ramène au petit matin, complètement embrumée, et l'installe chez nous pour la dépanner sans demander l'avis de Stella. Ou qu'elle prête de l'argent à une vieille amie qui disparaît aussitôt. Ou cette sale habitude d'inviter les filles à tout bout de champ, de vouloir tout payer, alors qu'elle n'arrive pas à payer les factures du *Studio*. Avec sa notoriété, elle devrait rouler sur l'or, mais elle dépense sans compter, fait crédit à qui le lui demande ; elle jure qu'elle s'en fout, qu'elle est artiste, pas commerçante. Ce qui met Stella hors d'elle, car c'est elle qui à la fin du mois fait les comptes, se demande où passe l'argent et comble le déficit. Ou quand, sur un coup de tête, elle a acheté ce monstrueux canapé en cuir rouge vif qui lui avait tapé dans l'œil, et qu'il a fallu déménager le salon pour arriver à le caser dans un coin. En revanche, quand Léna a annoncé qu'elle allait sauter le pas et se faire tatouer sur les tempes et le front un petit tribal maori, Stella lui a répondu calmement : «Je te préviens, si tu fais ça, je te quitte aussitôt», et pour une fois, Léna a renoncé et l'a mis en veilleuse. Au moins provisoirement. Mais je suis sûr que ça la démange, et qu'un jour ou l'autre elle va nous faire la surprise.

Ma mère est une œuvre d'art, une attraction à elle seule.

Elle est mince, elle peut manger ce qu'elle veut, elle fait le même poids qu'à seize ans, son corps est couvert de tatouages des pieds à la base du cou, une trentaine au moins, de différents styles. Comme elle porte en permanence un perfecto, cela ne se remarque pas forcément ; seuls son visage et ses mains ont été épargnés. C'est pour cette raison qu'elle s'évertue à porter des manches courtes, même au cœur de l'hiver, ses deux bras étant recouverts jusqu'aux poignets. Des créations des plus grands noms de la profession : Jack Rudy, Ed Hardy ou Paul Timman, elle a travaillé avec eux à Londres et aux États-Unis. Et elle n'attend qu'une chose, c'est d'y retourner.

Quand on est allé ensemble à la plage ou à la piscine (ce n'est arrivé que deux fois), elle a fait le spectacle et à chaque fois ça a mal tourné. Il y a beaucoup d'imbéciles sur les plages, et celle de Perros-Guirec en abrite un paquet, à en juger par les réflexions désobligeantes, comme quoi on était à mardi gras, et autres interpellations graveleuses auxquelles elle a répondu crûment par une série d'insultes assez brutales et de doigts d'honneur vengeurs. Stella s'est interposée pour éviter que ça tourne mal, nous nous sommes retirés sous les quolibets, réfugiés dans notre location dont nous ne sommes plus sortis pendant une semaine, enchaînant Cluedo et petits chevaux, sauf ma mère, qui déteste jouer ; ce séjour raté en Bretagne confirmant sa haine et sa répulsion incompréhensibles pour les crêpes et les crêpiers. Quant à notre déplacement à la piscine Parmentier, il fut d'une rare brièveté, le bain tant attendu s'est transformé en pugilat. Le maître-nageur en a pris une car il s'était interposé, un connard a fini dans l'eau et nous dehors, à jamais tricards des piscines parisiennes.

Voilà pour quelle raison nous passons nos vacances dans le Limousin, dans un bled qui n'existe pas sur le GPS, entre Guéret et Aubusson, dans la maison des parents de Stella, où on fait du vélo, du vélo, du vélo, mais pas elle, car elle a horreur du sport sous toutes ses formes, et comme elle ne supporte pas la campagne plus de deux jours, que ça l'étouffe et que ça la déprime, elle reste tout le temps à Paris, surtout au mois d'août quand tous les cons sont partis.

*

Il n'y a pas deux femmes plus différentes qu'elles deux. À se demander ce qu'elles font ensemble et ce qu'elles se trouvent. Ma mère cultive son look de garçon manqué, ignore l'usage du peigne, se coiffe avec ses doigts, est incapable de prononcer deux phrases sans dire : pute, bite, con, chier, ou merde, s'amuse toujours à provoquer les bourgeoises, même si elle a passé l'âge depuis un moment, ne renonce à rien de ce qui la faisait vibrer dans sa jeunesse, alterne cigarillos, menthol light, et son paquet de gris qu'elle roule en moins de dix secondes, même si elle jure avoir diminué, s'enfile ses douze bières brunes belges par jour, connaît la meilleure source pour le shit libanais, celui qui vous fait partir où vous voulez en dix secondes, sniffe comme à vingt ans pour se donner la pêche, et elle est toujours capable de passer la nuit en boîte et d'aller bosser après. Stella a abandonné l'idée de la raisonner, car elle s'est rendu compte que plus elle essayait, plus Léna fumait et buvait. C'est ce qui lui donne cette voix éraillée de chanteuse de blues et ses phalanges jaunies. Et quand, pour l'anniversaire de Stella, elle a fait le concours du plus gros pétard avec deux copines, elle a été prise d'une quinte de toux effroyable, elle avait les yeux rouges, le front en sueur, et tremblait comme une feuille. Je lui ai dit qu'elle ferait bien de faire attention, elle a répondu qu'elle s'en foutait de vivre vieille, et qu'elle voulait vivre. Tout simplement.

Et qu'il était temps que je me décoince.

Je ne sais pas comment Stella arrive à la supporter. Moi, je l'aurais envoyée promener depuis longtemps. Ça doit être cela qu'on appelle l'amour. Quand on est collé l'un à l'autre par une substance invisible. Mais ce n'est pas marrant de se dire qu'on doit avaler des couleuvres à l'infini et qu'on ne réussit plus à s'en dépêtrer. Moi, je n'aurais pas accepté le dixième de ce qu'elle a enduré. C'est vrai que j'exagère et que je la déforme dans cette description, trop raccourcie, quand je la relis on a l'impression que ma mère est infernale. Ce n'est pas exact. La plupart du temps, la vie avec elle est épatante. C'est par moments que ça la prend. Tout d'un coup. Sans prévenir. Comme un départ d'avalanche. Elle bascule alors, incapable de résister, comme si elle était happée de l'intérieur. Et là, personne ne peut la retenir. Stella sait la prendre pour que ça ne dégénère pas trop, elle seule arrive à la canaliser. Et ma mère lui en sait gré. Stella, c'est notre ange gardien. Je le lui ai dit, et je me demande ce qu'on serait devenu sans elle. Je lui cherche en vain un défaut, elle n'en a pas.

Sauf un, petit, dont je parlerai tout à l'heure.

Stella est d'une patience incroyable, elle ne s'énerve jamais, elle est capable de reformuler une idée de dix façons différentes pour vous convaincre avec douceur, et il se dégage d'elle une impression de force et de maturité, comme si elle avait vécu plusieurs vies. En plus, elle est tout simplement sublime. Elle a quarante-cinq ans et en paraît dix de moins, elle boit peu, ne fume pas, ne se maquille plus, et fait une heure de yoga chaque jour. Il paraîtrait que Stella a aussi un tatouage, je n'ai jamais pu en avoir confirmation, il doit être placé à un endroit que je ne verrai jamais ; à côté, Léna qui a trente-six ans en fait dix de plus. Daniel, le père de Stella, m'a raconté que, quand elle était au lycée, on lui a proposé plusieurs fois de faire de la publicité, elle a toujours refusé en riant ; toutes ses amies étaient persuadées qu'elle deviendrait un mannequin célèbre. Mais elle savait ce qu'elle voulait. Elle est devenue hôtesse de l'air à Air France, et pendant près de quinze ans, elle a sillonné le monde. C'est ce qui lui plaisait. C'est comme ça qu'elle a rencontré ma mère, sur un vol qui revenait de Los Angeles. Elles se sont mises ensemble assez vite, et aussi loin que ma mémoire remonte, Stella est indissociable de nous. Il y a sept ans, elle a profité d'un plan social pour suivre une formation de cuisinier, car elle voulait changer de vie et, avec ses indemnités de départ et ses économies, elle a ouvert, avec quelque difficulté, un restaurant au bord du canal Saint-Martin : *Le Petit Béret*, dans une ancienne fabrique de chapeaux dont elle a conservé l'enseigne et qu'elle a décorée en style dixie.

Avant d'en arriver à la décoration, il a fallu passer par les travaux, il y en avait beaucoup, qui nécessitaient compétences et savoir-faire. Stella a eu la mauvaise idée de faire appel à Christiane, une de ses copines ancienne hôtesse de l'air qui venait de monter sa boîte. Cette amie était de bonne volonté et avait fait un devis vraiment raisonnable (mais l'une avait oublié de chiffrer une foule de postes, et l'autre a apporté des changements incessants au plan initial). Pourtant, Christiane avait suivi une formation d'entreprise générale et possédait toutes les qualifications pour exécuter ce chantier. Sauf qu'elle n'en avait jamais réalisé aucun. Que ses ouvriers étaient des ouvrières qu'elle avait connues en suivant son stage, qu'elles n'avaient pas plus d'expérience qu'elle, et que ça a été le Chemin des Dames au bord du canal Saint-Martin. Pour commencer, l'architecte, qui était l'amie de Christiane, n'avait pas l'habitude de ce type de travaux, elle s'est trompée sur je ne sais plus quoi, le permis de construire n'était pas conforme, le chantier a été arrêté pendant quatre mois, ensuite plus personne n'a été capable de reconstituer le fil exact des événements qui ont contribué au désastre. Je passe sur les détails techniques, il y a eu des cris, des hurlements, des pleurs et des crises de nerfs, des menaces d'étranglement, de procès et de haine éternelle. Finalement, Léna a rameuté le ban et l'arrière-ban de ses copines, qui passent leur temps à bricoler chez elles et s'y connaissent mieux que personne et, grâce à Judith, son assistante au *Studio*, une post-punk lourdaude qui a travaillé dans le bâtiment au début de sa carrière, elles ont terminé les travaux en bossant comme des folles pendant juillet et août. Je me souviens de leurs visages blêmes, de leurs angoisses nocturnes, de leur panique dans l'attente du passage de la commission d'autorisation d'ouverture au public, et des cris de joie, des larmes, quand cette autorisation a été accordée. L'inauguration a pu avoir lieu, en fanfare, avec un an de retard sur la date initiale.

Stella a gardé de ses années aériennes un côté bcbg, toujours impeccablement coiffée et habillée avec goût, mais il ne faut pas s'y tromper car elle est de gauche. La première année d'activité a été laborieuse puis elle a trouvé la bonne formule avec des recettes des Antilles et des États-Unis, revisitées à sa façon. La clientèle est uniquement féminine, surtout le soir, plutôt fidèle et, grâce au bouche-à-oreille, c'est souvent complet. Léna a toujours refusé de l'aider, d'abord parce qu'elle n'a jamais cuisiné quoi que ce soit de sa vie et n'imagine pas s'y mettre un jour, ensuite parce qu'elle est très occupée au *Studio*.

Finalement, c'est moi qui bosse au restaurant.

C'est Stella qui a eu l'idée.

*

Quand je me suis barré du collège, Stella a été la seule à m'aider. Elle a insisté pour que j'y retourne, bataillant avec Léna qui s'en fichait, qui trouvait que j'avais raison de me casser du système et que je n'avais qu'à me débrouiller, comme elle l'avait fait elle-même, soutenant que l'école de la vie était la meilleure pour apprendre à s'en sortir et qu'on n'avait pas besoin d'études et de diplômes. Au contraire, jurait-elle, les diplômés sont des cons, formatés et ennuyeux, seuls les autodidactes ont de l'intérêt.

— Cherche ce que tu as au fond de toi, qui tu es, découvre ce que tu as envie de faire de ta vie et tu le feras.

Moi, ce que je voulais, c'était jouer du piano, mais elle a mis son veto. Et c'était catégorique. Ma mère, qui m'a toujours laissé libre de faire ce que je voulais, qui ne s'est jamais occupée de moi, qui ne m'a jamais fait réviser une leçon ou aidé pour un devoir, qui n'est jamais allée voir un prof de toute ma scolarité (elle ne devait même pas savoir dans quelle classe j'étais), s'y est violemment opposée. Quand je suis entré au collège, la prof de musique a découvert que j'avais l'oreille absolue, et a suggéré que je prépare le conservatoire municipal. Elle a demandé à voir ma mère mais Léna n'a jamais voulu la rencontrer.

— Tu diras à ta prof de musique que je l'emmerde ! De quoi elle se mêle, cette conne ?

Bien sûr, je n'ai pas transmis le message. Je prétendais que ma mère travaillait beaucoup, qu'elle avait des horaires compliqués, ce qui était la vérité, mais la prof insistait. Finalement, Stella s'est dévouée. Elle n'avait aucune légitimité à intervenir, elle a trouvé plus commode de déclarer qu'elle était ma mère. Elle a écouté la prof et a dit qu'elle allait réfléchir. Mais Léna a été intraitable. J'entends encore l'écho de leurs disputes.

— Jamais mon fils ne fera de musique, jamais ! hurlait-elle.

On ne comprenait pas sa véhémence, son agressivité même, une de ses lubies comme d'habitude ; Stella n'allait pas mettre leur couple en danger pour une histoire qui ne la concernait pas directement, elle a laissé tomber et, pour avoir la paix, j'ai fait pareil. On n'en a plus parlé. Et puis, à l'entrée en troisième, la mère d'Alex a hérité d'un piano quart de queue d'un oncle perdu de vue, et j'ai passé tout mon temps chez eux à pianoter, sa mère m'a aidé un peu, et j'ai appris comme ça. À l'oreille. J'ai repéré et mémorisé les touches, et j'ai apprivoisé le clavier facilement. De façon paradoxale, cela ressemble à de l'arithmétique, ce n'est pas si compliqué. Si je n'ai jamais été doué en maths, j'ai une capacité particulière en calcul mental, je fais des multiplications et des divisions à deux chiffres de tête. Enfin, presque. Je me suis lancé, et j'y suis arrivé, en sautant la case solfège. Je me passais les CD de la mère d'Alex et j'ai découvert une musique que je ne connaissais pas : la variétoche. Chez nous, ma mère n'écoute que du lourd : ACDC, Aerosmith ou Crucified Barbara, son groupe préféré. Chez eux, j'ai passé en boucle les compils d'Aznavour, de Joe Dassin et de Françoise Hardy, des musiques carrées et sucrées que j'adorais, et que je reproduisais sans problème. Les parents d'Alex partaient tôt à leur boulot, Alex était au collège, j'avais l'appartement pour moi seul. Je pouvais jouer toute la journée sans personne pour me déranger. Je séchais les cours, récupérais les lettres du bahut que je mettais à la poubelle, et quand Léna a appris que je n'avais pas mis les pieds au collège de tout le trimestre, elle a éclaté de rire.

— C'est bien, grand. T'as raison. C'est tous des cons. Vis ta vie. Qu'est-ce que tu fais de tes journées ?

— Je cherche ce que je veux faire. Je réfléchis.

— Fais gaffe, faut pas trop t'astiquer le chou, plus tu réfléchis, plus tu es sûr de faire une connerie.

Stella levait les yeux au ciel, essayait d'intervenir, de me remettre sur les rails, mais elle ne pouvait rien faire contre nous deux réunis. Je jouais, en sourdine, dans l'appart des parents d'Alex, je me disais que ça ne pourrait pas durer toujours et qu'il fallait en profiter. Le collège a proposé que je double ma troisième, Stella m'a tanné pour que je saisisse cette chance. J'avais conscience d'avoir commencé trop tard, de ne pas avoir suffisamment travaillé pour devenir concertiste ; on n'a pas besoin de beaucoup de pianistes sur cette terre, surtout de pianistes qui ne sont pas surdoués, qui ne chantent pas debout et ne savent pas jouer avec d'autres musiciens, mais je m'en fichais. Quand j'ai décidé de quitter le collège,

Stella a entrepris une démarche quasi désespérée, elle est allée voir les parents d'Alex pour leur demander de me fermer leur porte et de me convaincre de poursuivre mes études, ils sont tombés des nues en apprenant que je passais ma vie chez eux. Je les revois en train de discuter dans la cuisine. Stella leur expliquait ce qu'ils devaient faire, et moi je ne voulais pas participer à mon exécution, je suis allé dans le salon, je me suis mis à jouer. Pour moi. Je me souviens, je pianotais *Yesterday*, quand j'ai vu apparaître Stella. C'est la première fois qu'elle m'entendait jouer. Elle s'est accoudée contre la caisse, a fermé les yeux. Je voyais bien qu'elle était attentive, que ça lui plaisait, alors j'ai fait des variations, des vrilles, des trilles, et des boucles. Ça a duré un moment, une dizaine de minutes, la plus longue interprétation connue du morceau.

J'ai fini par m'arrêter.

— Tu as appris où ?

— Ben, tout seul.

— Et tu en connais beaucoup, des morceaux ?

— Je n'ai pas compté. Des dizaines. En ce moment, je travaille Sinatra. Tu connais ?

Elle est partie, sans répondre.

En septembre, quand il a été acquis que je quittais le collège définitivement et que je n'irais pas au lycée, Stella m'a proposé de jouer dans son restaurant. J'étais persuadé que je n'y arriverais pas, que ce serait épouvantable, que ses clientes se plaindraient, mais elle a su trouver les mots pour me convaincre :

— Tu joueras ce que tu veux. Du classique, de la variété ou du jazz. Tu joues ambiance british.

Personne n'écoute vraiment. Si tu es mauvais, on ne s'en rend pas compte, si tu es bon, pas vraiment non plus. Attends, il faut quand même que je demande à ta mère.

Léna a été la plus surprise.

— Tu sais jouer du piano, toi ?

On est allé au *Petit Béret*, elle m'a écouté et a fait la grimace.

— C'est nul comme zique. Quelle soupe ! Comment tu peux jouer cette merdouille ?

Elle a semblé rassurée ; pour elle, il était acquis que je ne serais jamais pianiste, que les sons que je produisais ne s'appelaient pas de la musique. Mais moi, je m'y suis mis. Bien que le piano droit de Stella ne soit pas terrible. Un Chappell trois pédales, avec pieds sur roulettes et tabouret molletonné réglable en hauteur, personne n'a pu expliquer comment cet instrument londonien avait atterri sur les rives du canal Saint-Martin. Stella l'avait trouvé, abandonné sous une bâche dans la cave, et l'a fait réaccorder. Dans son cadre de vernis noir, il présente bien, mais avec ses basses brouillonnes, il manque de précision et de chaleur. Heureusement, tout le monde s'en fiche. Je joue six soirs par semaine chez Stella. Sauf le dimanche, jour de fermeture. Et j'adore ça. C'est exactement ce que je voulais faire. À une autre époque, j'aurais été pianiste dans un bordel, malheureusement ils ont été fermés, ou dans un bastringue, mais il n'y en a plus, j'aurais bien aimé aussi être pianiste dans un cinéma muet, accompagner un film pendant une heure, en Amérique j'aurais été pianiste de saloon, ça aurait été la belle vie, mais je vis ici et maintenant, j'aurais pu faire les salons de thé ou les bars d'hôtel, je bosse dans un resto, cela me convient à merveille. Je suis là pour mettre de l'ambiance, pas pour me mettre en avant. Si des clientes croient que c'est la radio qui diffuse la musique, tant mieux. Je joue ce que je veux, je peux faire des variations pendant une heure sur *Comme d'habitude* sans que personne le remarque. J'ai découvert des chanteurs oubliés dont le répertoire est fabuleux, je connais par cœur toutes les chansons des Platters et d'Adamo. Je joue aussi à la demande : les Japonaises adorent *Tombe la neige*, les Américaines *La Vie en rose*, les Italiennes *Only You*, et les Anglaises fondent pour *Les Feuilles mortes*. Et quand elles aiment, elles se mettent autour du piano, certaines chantonnent, et les pourboires arrivent. Heureusement, car si Stella a une foule de qualités, elle est un peu rapiat, elle gère son restaurant sans états d'âme et, bien qu'elle soit de gauche, elle les lâche difficilement. Au début, je jouais sans être payé. Elle affirmait qu'elle me rendait service, que ça me permettait de m'exercer, que ça ferait une ligne sur mon CV qui n'en a pas beaucoup. Et puis, il y avait les pourboires. Stella a l'œil à tout, elle avait bien remarqué que ses clientes étaient généreuses avec moi. Mais j'ai insisté et, au bout de trois mois, elle m'a donné vingt euros par soirée.

Déclarés.

Ce qui lui coûte le double, affirme-t-elle. Je me suis vaguement renseigné, j'ai râlé qu'elle exagérait et, six mois plus tard, elle m'a passé à trente euros. Ça fait presque deux ans et, même si j'ai un autre boulot dans la journée, il y a quelques semaines je lui ai demandé de me passer à cinquante euros.

— Ça va pas la tête ! Avec la crise qu'on a, tu veux ma mort ?

— On est complet tous les soirs, tu fais deux services. Et on bosse souvent jusqu'à minuit.

— Pas en ce moment, on verra plus tard.

Je ne vais pas faire d'histoires, le piano n'est pas un vrai job, c'est un boulot de complément. Ici, je dîne et j'ai droit à deux boissons (mais je bois ce que je veux). Je m'en fiche du salaire, je proteste pour le principe.

Je joue.

Je suis heureux tous les soirs, de dix-neuf heures trente jusqu'à vingt-deux heures trente en semaine, vingt-trois heures trente les vendredis et samedis soir.

Et souvent jusqu'à minuit.

Certaines penseront que je n'ai pas d'ambition et que je me contente de peu. C'est faux. J'ai les pieds sur terre, je connais mon niveau. Quand on déchiffre avec difficulté une partition, qu'on privilégie spontanément les morceaux faciles et agréables à entendre, qu'on n'aime que la variété, quand de surcroît on considère que Nino Rota, Ennio Morricone et Elton John sont les plus grands compositeurs de notre époque, autrement plus intéressants que Chopin ou Liszt, et ô combien plus créatifs et excitants, on n'a pas grand-chose à espérer. La musique classique m'emmerde profondément. Rien de plus ennuyeux qu'un concert à Pleyel. Sauf pour roupiller, bien sûr. Moi, je joue tous les soirs. Et je suis payé pour ce boulot. C'est mieux que la plupart des pianistes qui ont trimé six heures par jour pendant vingt ans pour se morfondre au chomdu ou finir aigris comme profs dans un collège de banlieue. Bien sûr, on ne vient pas pour moi, on m'écoute par hasard, entre la poire et le fromage, mais quelle importance si, à ce moment-là, on ferme les yeux quelques instants et qu'on se laisse embarquer par la ritournelle, qu'on éprouve un petit moment de bonheur. Moi, chaque soir, des clientes viennent me remercier, font un selfie avec moi, me demandent de leur jouer un morceau qu'elles adorent et qui leur rappelle des souvenirs, certaines m'applaudissent, d'autres me font la bise, quelques-unes me glissent leur numéro de téléphone avec un clin d'œil complice.

Mais je veille à ne pas mélanger travail et sentiments, je risquerais de tout gâcher. Le personnel doit savoir garder ses distances, n'est-ce pas ? Très vite, j'ai été surpris de constater que les clientes me prenaient pour une femme. Dans ce lieu réservé, c'est désormais un fait établi, une évidence, elles me regardent, me sourient, parlent devant moi comme si j'en étais une, parce que devant mon piano, avec mon allure si douce, cette façon que j'ai de relever mes cheveux mi-longs derrière mon oreille, ma chemise en soie noire, ma veste de smoking, rien dans ma personne ne peut les en faire douter. J'adore cette ambiguïté, je la cultive sans rien faire d'autre que d'être moi-même, c'est cela que j'aime ici. Je suis un funambule qui va et vient sur son fil tendu au-dessus du précipice, un ou une pianiste qui joue.

Allez savoir.

Et les soirées où personne ne me remarque, où personne n'applaudit, je m'en fiche, je suis heureux quand même. Les soirées où personne ne pense à laisser un pourboire, aussi. Peut-être est-il regrettable que cela se produise de plus en plus souvent. La crise, probablement. Quelle importance, je ne joue pas pour le pognon, je joue pour moi, c'est pour cela que je me sens bien. Je n'ai pas d'autre ambition. Pas de plus prestigieuse ou de plus rémunératrice. Et j'espère que ce boulot durera longtemps encore.

Depuis près de deux ans que je travaille ici, je vois plus Stella que Léna, et ce n'est pas plus mal. Stella est facile à vivre, elle n'essaye pas de vous changer, ne vous agresse jamais et vous prend comme vous êtes. Beaucoup d'enfants ont des problèmes avec leurs parents, il paraît que c'est dans la nature des choses. Pas moi. Je n'ai pas de problèmes avec ma mère.

Le problème, c'est ma mère.

On a toujours l'impression qu'elle est en guerre avec le monde entier. On pouvait espérer qu'avec l'âge cela passerait. Ce n'était qu'une illusion; si on a vaguement l'impression qu'elle s'est assagie, c'est qu'en réalité on se voit peu, et cela limite les moments et les raisons de friction. Le dimanche, quand nous sommes réunis et qu'elle commence à vitupérer, je fais comme Stella, je m'abstiens de réagir et la laisse tempêter pour ne pas apporter d'eau à son moulin. Grosso modo, elle déteste les bourges, les riches, les pauvres, les croyants, les fonctionnaires, les bobos, les sportifs, les assistés, ainsi que les dindes et les dindons. Dans ces deux dernières catégories, elle range les hétéros – cumulé, cela doit faire un paquet de gens –, qui incarnent à ses yeux ce qui est le plus nauséeux et vomitif sur cette terre. Lorsqu'elle en parle, elle ne cache ni sa répulsion pour cet acte abject, ni son mépris éternel pour les membres de la basse-cour. Seuls, les homosexuels des deux sexes trouvent grâce à ses yeux, même s'ils sont riches, bobos ou sportifs. Stella n'a pas cette agressivité, elle est tolérante, elle s'en fiche. Il faut le reconnaître, le problème se pose peu car elles ne fréquentent quasiment que des homos. Même dans leur travail.

*

Il y a un autre point qui les oppose parfois. Stella est de gauche, et ma mère n'est rien du tout. Le peu de conscience politique que j'ai, c'est à Stella que je le dois. Elle a été fortement influencée par ses années passées à Air France, son ancien engagement de représentante du personnel, et son départ négocié n'a en rien modifié ses convictions. Stella adore manifester avec ses vieux potes du syndicat. Ils se retrouvent dans un bistrot de Denfert ou de la République, s'embrassent avec chaleur, se racontent les dernières nouvelles et rejoignent le cortège. Depuis qu'elle vit avec Léna, nous n'avons pas raté un seul défilé du 1er Mai, même quand il flotte comme vache qui pisse et que les rangs sont clairsemés. Tout petit, j'ai manifesté, juché sur ses épaules, sur celles de Barbara, son ex-petite amie, ou sur celles d'Yves ou Jérôme, ses copains stewards qui viennent de se marier au *Petit Béret*, brandissant un drapeau rouge à ma taille, de la CGT ou siglé «La lutte continue», reprenant en chœur les slogans syndicaux et chantant à tue-tête le premier couplet de *L'Internationale*. Chaque année le 8 mars, c'est un principe, nous manifestons aussi pour la Journée des droits des femmes; à une époque, Stella a bataillé pour que Léna se joigne à cette manif féministe, mais elle lui a balancé qu'elle avait un peu plus d'ambition que de vouloir être l'égale des hommes. Hormis ces deux temps forts, s'il y a une grande manif, de préférence le dimanche après-midi, pour la Sécu, les retraites ou contre le gouvernement, nous y allons aussi.

En dehors de ces manifestations nationales, dans le quotidien, on ne remarque pas que Stella est de gauche, elle les lâche avec des élastiques, car elle a le resto à gérer et n'est pas assistante sociale, celles qui ont eu le culot de lui rappeler qu'il existait une convention collective se sont vu rappeler que primo, c'était la crise, deuzio, la convention elle la connaissait par cœur, et troizio, si t'es pas contente, tu dégages, y en a dix qui seront contentes d'avoir ton job. Et cela l'attriste de voir que les filles n'ont aucune reconnaissance.

Stella, comme beaucoup de gens, a évolué. Les idées généreuses de ses jeunes années se sont trouvées confrontées aux réalités du quotidien, mais elle refuse d'admettre qu'elle a changé; je crois que si elle continue à manifester, à brandir le poing et à reprendre les slogans hostiles aux patrons, c'est parce qu'elle n'a pas envie de vieillir, que c'est pour elle l'occasion de retrouver ses potes et de partager un bon moment au grand air avec eux. À moins que ce ne soit, comme l'a remarqué Léna, une excellente occasion d'entretenir sa clientèle, de se rappeler à son bon souvenir et de distribuer des cartes du resto. Et cela, malgré le nombre de fêtes qu'elle organise pour eux, je me refuse à le croire.

*

Ma mère est une artiste, une vraie, reconnue, célébrée. Une personnalité dans sa branche. Elle a tracé sa voie toute seule, et cela fait des années qu'on se presse dans sa boutique du boulevard des Filles-du-Calvaire (elle n'a pas fait exprès), à l'enseigne du *Studio*, où elle tient commerce de tatouage. Elle a été la première tatoueuse reconnue dans ce milieu machiste et fermé. Probablement parce que, très jeune, elle est partie à Londres, puis aux États-Unis, et a appris le métier avec les meilleurs, et les plus mauvais aussi, et qu'elle est revenue avec des idées précises sur ce qu'elle voulait faire, et ne pas faire. De ce point de vue, elle a manifesté dans son métier le même caractère que dans ses convictions, et cela a été son coup de chance, ce qui lui a valu sa notoriété et son succès.

Pour faire bref, ma mère ne tatoue que des femmes. Exclusivement.

Il n'existe qu'une exception connue (je l'évoquerai peut-être plus tard). Les hommes sont interdits de cité chez elle. Dans sa vitrine, il y a un grand panneau rouge de sens unique, avec écrit sur la bande blanche *Women only*. La porte est fermée comme dans une banque, ne s'ouvre que de l'intérieur, une caméra permet de voir qui se présente, et si un mâle souhaite entrer, il découvre alors *Women only* qui s'illumine et clignote, et il reste dehors. Elle ne répond à aucune demande formulée par un homme. Même célèbre. Ce qui, au départ, n'était qu'un coup de tête s'est révélé d'une incroyable efficacité marketing. En plus, Léna est vraiment douée, elle dessine magnifiquement, et si elle est capable de faire n'importe quel tattoo en couleurs, elle est réputée pour maîtriser le style graphique, uniquement à l'encre noire, et le tatouage minimaliste ; depuis quelque temps, elle travaille aussi les compositions botaniques légères.

Un heureux enchaînement de circonstances l'a fait connaître du monde entier : sa passion du rock lui avait permis de sympathiser avec les membres du groupe de Seattle Highway to Heaven alors qu'ils étaient encore de glorieux inconnus, qu'ils jouaient dans une microsalle parisienne, et de devenir amie avec leur chanteuse Mimsy Carlson, sur qui elle avait dessiné un superbe tableau abstrait de lignes épurées, tout en perspective et trompe-l'œil, c'était la première fois qu'elle se lançait dans une œuvre de cette dimension. Quand le groupe a obtenu deux Grammy Awards pour son tube planétaire *Grace and Dust*, des millions de téléspectateurs ont pu admirer le dos tatoué de Mimsy, qui lui a fait une pub d'enfer, affirmant que Léna était la meilleure tatoueuse sur cette terre et qu'elle avait l'intention de lui demander de continuer le tattoo sur le reste de son corps.

Léna reçoit uniquement sur rendez-vous et celles qui espèrent passer entre ses mains doivent s'y prendre trois mois à l'avance, surmonter l'obstacle Judith, son assistante aimable comme une porte de prison, et ne pas être exigeantes en matière de devis – ma mère est incapable de dire combien de temps cela lui prendra et combien cela coûtera à quelques centaines d'euros près – ni de création : c'est elle qui décide ce qu'elle va dessiner, et si l'idée ne plaît pas, la cliente peut toujours aller se faire tatouer ailleurs.

C'est cette ségrégation et ces exigences qui lui ont valu son succès. Elle a eu des articles en pagaille dans toute la presse féminine, en France et à l'étranger, des reportages à la télé, cela lui a fait une publicité gratuite et sans égale, et a provoqué l'animosité de ses confrères, mais cela elle s'en fout, au contraire, elle a drainé vers elle une clientèle qui découvrait le tatouage et trouvait formidable et plus pratique qu'une femme soit aux manettes, qu'il y avait plus de complicité et de connivence avec elle. Ma mère est arrivée au bon moment, quand les femmes ont découvert le tatouage et ont eu envie de s'affirmer de cette façon.

Léna aurait voulu me tatouer mais j'ai toujours refusé. Elle trouve que j'ai une apparence banale, critique mon conformisme vestimentaire, me répète que j'ai une coiffure affligeante, jure que si je me faisais teindre en cendré, cela m'irait à ravir, me demande régulièrement si je n'ai pas envie d'un piercing sous la langue ou d'un diamant à l'oreille, et me reproche de ne pas me laisser pousser la barbe, alors que je suis imberbe. J'ai renoncé à répondre, je n'éprouve pas le besoin de me faire marquer. Je me singularise à ma façon en restant comme je suis.

*

Pour en finir (provisoirement) avec ma caricature de mère, il faut savoir qu'elle ne se déplace jamais sans sa Harley. Une Twin Cam bleu marine de 1 500 cm³ qui démarre lentement, claque au quart de tour, monte très haut, et dont elle se sert pour aller de chez nous, rue du Général-Blaise, au *Studio*, les mots métro, autobus ou taxi lui étant inconnus. Elle irait plus vite à pied et elle en profite, quel que soit le temps, pour faire un tour dans Paris avant d'aller bosser. Quand elle n'avait pas les moyens, elle avait récupéré une vieille Shovelhead noire cabossée, qu'elle avait patiemment retapée. Elle est capable de bricoler jusqu'à un certain niveau, mais il y avait une fuite d'huile sournoise qui lui a coûté une fortune en réparations, elle tombait en panne régulièrement et dégageait une fumée de locomotive. Elle a disparu dans des conditions mystérieuses sur lesquelles ma mère revient encore dix ans après. Dès que j'ai été capable de marcher, je me suis retrouvé dans une tenue cuir, sanglé sur la selle arrière, avec un casque enfant sur la tête, et j'ai découvert Paris au milieu du convoi de ses copines, un club d'amazones disjonctées – elles sont huit mais font du bruit comme cinquante – qui jouent à l'Équipée sauvage dans Paris et sur le périph. À l'époque, elles se joignaient à un groupe de bikers ventrus qu'elles retrouvaient à la Bastille. Ces virées se sont interrompues brutalement, j'en ignore la cause, mais à chaque fois que les unes croisent les autres, soit ils s'ignorent avec ostentation, soit ils s'adressent, qui des doigts d'honneur, qui des bras sortis du même tonneau.

Léna a voulu entraîner Stella dans sa passion, long-temps elle l'a poussée à passer son permis moto et à acheter une Évolution, mais de toute évidence, les machines pétaradantes ne l'attirent pas plus que ça. Pour ne pas rester en rade le dimanche, elle a fini par acheter une tenue complète et se contente de se laisser traîner ; heureusement pour elle, ma mère res-pecte les limitations de vitesse, non pas parce que le code de la route l'y oblige mais parce qu'une Harley doit se conduire avec classe, au milieu de la chaus-sée, comme si on était seul sur terre, la main droite gantée posée sur le guidon chopper relevé, et tant pis si les voitures derrière klaxonnent pour réclamer le passage.

Léna parle avec émotion de la traversée des États-Unis qu'elle a faite lors de son deuxième séjour, Chicago-Los Angeles sur la 66, trois semaines d'un voyage qu'elle s'était promis de renouveler très vite, cela fait douze ans déjà. Stella ne voulant pas y aller, elle m'a demandé si je serais tenté, mais comme ce n'est pas mon truc non plus, elle nous a dit que l'an-née prochaine, elle irait respirer le grand air là-bas, toute seule s'il le fallait.

La première année où nous sommes partis en vacances chez les parents de Stella, au fin fond du Limousin, ma mère a accepté d'y aller, à condition qu'elle fasse le trajet de son côté, en moto. Elle trouvait que ce serait sympa qu'on voyage ensemble. Moi j'étais en CM2, et pas très chaud pour me taper quatre cents kilomètres sur son tape-cul, finalement Stella m'a demandé de faire cet effort parce qu'elle serait plus rassurée si je l'accompagnais. Stella est partie devant avec la voiture et les valises. Léna a commis une erreur : n'ayant pas envie d'arriver trop tôt, nous avons quitté Paris en début d'après-midi et nous nous sommes élancés pour une balade qui s'annonçait cool. Mais une fois à Longjumeau, il s'est mis à tomber des trombes d'eau, elle a préféré quitter l'autoroute pour prendre la nationale. Ce fut le pire voyage de ma vie, et de la sienne. La pluie n'a pas cessé de tout le trajet. En fin de journée, après Guéret, elle s'est trompée de route, on s'est retrouvé sur une vicinale. À un moment, il paraît qu'un chevreuil est passé devant nous, je n'ai rien vu, cela faisait quatre heures que je fermais les yeux, résigné et trempé. Elle a voulu l'éviter, dans le virage la moto a dérapé, nous avons fait une superbe glissade sur le dos et sommes passés par-dessus le talus, nous retrouvant à patauger deux mètres en contrebas dans un champ inondé, incapables de redresser cette putain de moto qui pesait une tonne et gisait dans cinquante centimètres de gadoue. Son téléphone portable était noyé. On a fini la route à pied, marchant et tournant en rond pendant des heures dans le noir, sous la flotte, sans savoir où nous étions. Un maçon qui se rendait sur un chantier à Limoges nous a ramassés vers quatre heures du matin. Stella avait prévenu les secours mais cela n'avait servi à rien. On était frigorifiés, et tétanisés.

Le lendemain, Léna a voulu récupérer sa moto. Elle n'a jamais découvert le champ dans lequel nous avions atterri. Pendant quinze jours, elle a fait des dizaines, des centaines de kilomètres alentour, elle ne reconnaissait pas l'endroit, les arbres ni la topographie des champs, il n'y avait pas de traces du dérapage dans l'herbe. Comme c'était une année pourrie, nous n'avions pas grand-chose d'autre à faire que de chercher. Nous nous sommes scindés en deux groupes, les parents de Stella et moi à l'est, Stella et Léna à l'ouest, nous avons arpenté à deux reprises toutes les routes et tous les chemins goudronnés ou pas au sud de Guéret, nous avons avancé minutieusement, notant notre progression sur des carnets. Parfois, elle croyait identifier le champ funeste mais ce n'était qu'une illusion. Nous n'avons retrouvé ni le lieu, ni la moto. Des amis des parents, des voisins s'y sont mis aussi. La quête de la moto perdue était devenue le jeu de piste de l'été. On était certain que tôt ou tard, au détour d'un virage, on tomberait dessus. Mais pas de moto.

Envolée !

Évanouie !

Il est certain qu'un trou du cul de bouseux (dixit Léna), la voyant échouée, a cru qu'il s'agissait d'une épave et se l'est appropriée. Comme si un propriétaire de Harley allait abandonner sa bécane ! Ce fut une épreuve pénible pour ma mère, comme si elle avait perdu un être cher. Et cette disparition laissait un vide béant et douloureux au fond d'elle. Elle était peinée, choquée. C'est à ce moment-là que j'ai compris qu'elle ne faisait pas de cinéma, qu'elle ne jouait pas à la bad girl ou à un plagiat de rockeuse, mais qu'elle était profondément sincère, que son attitude était pour elle plus qu'une manière de vivre. Elle ne posait pas, ne se forçait pas, ne suivait pas une mode, c'était sa vie qui s'exprimait de cette façon. Peut-être qu'il y avait un malentendu, qu'elle n'aurait pas dû vivre dans ce pays où elle détonnait et où on la regardait de travers, mais en Amérique. Peut-être que là-bas, elle serait passée inaperçue, que personne n'aurait prêté attention à elle, qu'elle se serait fondue dans le paysage. Mais elle vivait ici, et ici, elle qui se sentait profondément normale, on la prenait pour une originale et une extravagante.

*

Alex est, je l'ai dit, mon seul et unique copain, on s'est connu au collège de la rue Saint-Ambroise, en sixième. Il y en avait deux dans la cour qui ne parlaient à personne, à qui personne ne parlait, qui s'étaient croisés du regard sans oser s'aborder, ils auraient dû se rencontrer et devenir amis dès la rentrée, mais ils se sont retrouvés dans deux classes différentes.

Ce jour-là, j'ai découvert mon problème. Auparavant, je n'y avais jamais été confronté, les maîtresses étaient prévenues ou se passaient l'info, mais au collège on avait une demi-douzaine de professeurs et à chaque début de classe il a fallu en passer par la sacro-sainte fiche de renseignements. Aujourd'hui, je me dis que Léna ou Stella auraient dû y penser et me briefer, mais je me suis retrouvé seul pour remplir la case : *profession du père*. À cet instant précis, je n'ai pas paniqué, je me suis demandé quel métier exerçait cet homme que je ne connaissais pas et dont je n'avais jamais entendu parler et, comme je l'ignorais, j'ai marqué : *inconnue*. Jusqu'à cet instant, je ne m'étais jamais posé la question de mon père.

Je n'en avais pas.

Un point, c'est tout.

Je n'avais pas compris qu'il en fallait un.

Cette absence ne m'avait jamais gêné. Comme quoi, ils ne sont pas indispensables. Le premier cours était histoire-géo, le prof en ramassant les fiches y jetait un coup d'œil rapide, il m'a dévisagé d'un air débonnaire :

— Martineau, si votre père est chômeur, il faut mettre le métier qu'il exerçait avant.

— Je n'en sais rien, monsieur, je n'ai pas de père.

Le professeur m'a adressé un sourire plein de compassion, comme si un gamin de mon âge ne pouvait pas être orphelin. J'ai ajouté pour le rassurer :

— Par contre, j'ai deux mères. Je peux mettre les deux si vous voulez.

Son visage est devenu rouge, j'ai senti comme un malaise. Le sien. Il a répété trois fois : « Heu… », puis :

— Oui… c'est pareil… allez-y.

Il m'a rendu ma fiche, j'ai écrit : *Mère 1 : tatoueuse, mère 2 : restauratrice*. Le prof d'histoire-géo m'a fixé d'un air que j'ai été incapable de qualifier, un instant il a semblé se demander si je ne me moquais pas de lui, mais il n'a fait aucune réflexion et il est passé à l'élève suivant. La profession de ma mère attirait toujours l'attention des profs et les faisait sourire : «Tatoueuse? Tiens, comme c'est amusant.»

Je ne voyais pas ce qu'il y avait de drôle. Mais la profession de ma mère et sa situation de famille faisaient de moi un original. Malgré moi. Tout d'un coup, l'homme qui n'existait pas s'est mis à peser dans ma vie, pas directement car je continuais à ne pas y penser, mais parce que mes camarades ne cessaient de me le rappeler, à la récréation ou à la sortie du collège, notamment. Et c'est à cause de ce fantôme que mes ennuis ont commencé. Je ne cherche pas d'excuses, mais cette ombre a gâché ma scolarité. S'il y en a un qui m'a pourri la vie, c'est mon voisin de table, l'abominable Jason Rousseau, avec ses cheveux en brosse. Je m'étais assis à côté de lui, parce que c'était le seul que je connaissais vaguement dans cette classe, c'était le fils du boulanger, je l'avais croisé souvent en allant chercher le pain. Quand le prof s'est éloigné, il m'a donné un petit coup de coude, s'est penché vers moi et a susurré à mon oreille :

— Hé, ça rigole chez toi.

Je ne saisissais pas ce qu'il voulait dire, mais j'ai fait oui de la tête.

— Et tu les as vues ?

— Qui ?

— Ben, the two gouines.

— Qui ça ?

Je dois, à cet instant, faire un aparté. J'avais onze ans, je n'étais pas très déluré, et Rousseau un peu plus. J'avais évolué dans un univers ouaté. À la maison, il y avait des tas de mots qu'on ne prononçait jamais. Il avait un air hilare, et je ne comprenais rien de ce qu'il voulait dire.

— De quoi tu parles ?

— Ben, elles se paluchent ? Tu les as vues ou non ?

Il m'a expliqué brièvement, j'ai réalisé avec horreur ce qu'il sous-entendait. Je lui ai sauté dessus. Ce fut la première d'une interminable série de bagarres ; je dois admettre, avec dépit, que je les ai toutes perdues, elles ont cessé quand je me suis fait virer pour une semaine au début de la troisième et que j'ai décidé de ne plus remettre les pieds au collège. Rousseau était du genre foot-basket, moi pas, j'avais horreur du sport, il faisait environ deux fois ma corpulence et vingt centimètres de plus que moi. J'ai perdu ces combats mais, avec le temps, j'ai compris de quelle manière je pouvais l'affronter. En ne le laissant pas profiter de sa taille et de son poids, en me collant à lui et en le bourrant de coups dans les côtes, le temps qu'il arrive à réagir et à me repousser, je réussissais à lui faire mal aussi, et c'était une satisfaction de le voir avoir peur de moi. Pendant trois années, il m'a provoqué et je n'ai jamais hésité à me colleter avec lui. Cela ne me dérangeait pas de prendre une raclée, si j'arrivais à lui faire regretter les abominations qu'il me lançait. Mais souvent, il était accompagné par ses copains, quatre petits cons qui se foutaient de moi, de ma mère et de Stella. Et là, c'était plus compliqué. J'étais tellement offusqué de ce qu'ils lançaient que je ne résistais pas longtemps et leur tombais dessus, mais comme ils étaient plusieurs, j'en ai pris des sévères. Quand j'en croisais un, il passait son chemin sans me voir, mais quand ils étaient ensemble, j'avais droit à leurs sarcasmes, à leurs gestes obscènes, et si je les affrontais, c'est eux qui allaient se plaindre, ils juraient leurs grands dieux que j'étais vindicatif et querelleur, que je m'en prenais à eux sans raison, et c'est moi qui avais toujours tort, car je n'ai jamais donné le motif de leurs provocations. Je ne voulais pas que Léna ou Stella apprennent ce qu'ils bavaient sur elles, je ne voulais pas qu'elles se fassent de reproches ou qu'elles se sentent coupables de quoi que ce soit, j'aurais eu l'impression de les salir. Après tout, c'était mon problème, pas le leur, elles n'y étaient pour rien, c'était mon paquetage, et je devais apprendre à me débrouiller avec sans aller chigner auprès de maman parce que, de toute façon, ça n'aurait rien changé. Peut-être aurais-je dû en parler, m'en ouvrir à Stella, elle aurait su me guider, mais j'étais trop jeune, j'avais peur de la blesser, alors je n'ai jamais rien dit.

L'apothéose de nos affrontements a eu lieu le jour de la rentrée en troisième. On était dans la cour en train de bavarder avec Alex quand Rousseau est passé, accompagné de ses potes, et il m'a bousculé en faisant semblant d'être surpris de me découvrir.

— Oh, it is a pleasure de les revoir, les pédés.

Pendant les vacances, Alex m'avait conseillé de ne pas répondre, de ne pas réagir à ses provocations, je dois reconnaître qu'il avait raison. Je le laissais dégoiser, et il s'excitait tout seul.

— Vous vous êtes bien amusés pendant les vacances ? Vous avez perdu votre langue ? Vous vous êtes trop sucés peut-être. Hein ? Elles font leurs mijaurées les fiottes, elles causent plus qu'entre elles, les girls.

Il riait de ses vannes débiles, prenait ses copains à témoin, ça l'énervait qu'on reste indifférent à ses agressions verbales.

— Mais il a grandi ! Il fait moins baby à sa maman, vous trouvez pas les gars ? Au fait, Paul, ton père, où il est ? Tu l'as vu au parloir ? Il est sorti de taule ?

Je me suis détourné pour parler à Alex, quand Rousseau m'a poussé violemment l'épaule.

— Hé, c'est pas gentil de me tourner le dos, elles sont pas polies les tapettes cette année. Je m'inquiète pour ton père, Paul. Où il est ce grand con ? Qu'est-ce qu'il fait en ce moment ?

J'ai regardé longuement le cadran de ma montre, en faisant la moue.

— À cette heure, il baise ta mère. C'est vrai qu'avec ton ramollo de père, elle est pas à la fête.

Je n'aurais pas dû répondre, c'était une erreur, Rousseau aurait fini par se lasser et serait allé chercher un autre souffre-douleur. Ce n'est pas tant les insanités que j'avais sorties qui l'ont choqué, on s'en était balancé des pires, c'est d'avoir perdu la face devant ses copains qui ont éclaté de rire, et il ne l'a pas supporté. J'ai fait demi-tour, il m'a retourné, prêt à me frapper, et là, ça a été plus fort que moi. Mon coude est parti en direction de son visage avec toute la force dont j'étais capable, et on a tous entendu le craquement de bois sec du nez qui se disloque. Pour dire vrai, il était de travers. Il est resté plusieurs secondes K-O debout, interloqué par le choc, et s'est mis à hurler en tenant son pif qui dégoulinait comme un robinet de pinard. Mon année de troisième s'est arrêtée avant de commencer. Je me suis retrouvé chez la directrice, avec conseil de discipline et exclusion d'une semaine assortie d'une inscription sur mon dossier scolaire.

À la maison, j'ai dit que Rousseau n'arrêtait pas de se moquer de moi, ma mère a trouvé que j'avais raison de ne pas me laisser faire et de me défendre. Elle a refusé d'aller à la convocation de la directrice et, encore une fois, Stella s'est dévouée. Je ne sais pas ce qu'elle leur a raconté mais ils ont accepté que ce soit elle qui me représente. Stella voulait qu'on parle, elle ne comprenait pas ces bagarres incessantes, que je revienne avec des éraflures, des ecchymoses partout, et les pantalons déchirés.

— Que se passe-t-il, Paul ? Pourquoi tu ne dis rien ? Tu n'es pas comme ça d'habitude. Tu peux me faire confiance, tu le sais, ça restera entre nous.

Elle était persuadée que j'étais victime d'un racket et que j'avais peur de l'évoquer. J'ai juré que non, elle ne m'a pas cru. Je ne voulais pas lui dire la vérité, elle m'a reproché d'être aussi buté que ma mère. Au bout d'un moment, elle a laissé tomber. Elle a demandé à Alex de me transmettre les cours et a commencé à me faire travailler, mais je faisais preuve d'une telle mauvaise volonté, et ma mère s'en fichait tellement, qu'elle a assez vite renoncé.

Les choses ont fini par s'arranger. D'une façon incompréhensible. De sa propre initiative, Rousseau est allé voir la directrice, poussé par le remords, pour me dédouaner, s'accusant de m'avoir provoqué et confirmant que j'avais agi en état de légitime défense. Alors que j'avais refusé de m'excuser, soutenant que je n'avais fait que me défendre, c'est lui qui m'a présenté ses excuses d'un air suppliant et m'a tendu sa main que j'ai été obligé de serrer. Par la suite, à chaque fois qu'on se croisait, il me faisait un signe de tête et un sourire, mais moi je passais sans le voir.

J'ai appris la cause de ce revirement quelques mois plus tard. Un dimanche soir, au cours du dîner, Léna, qui ne posait jamais de questions, m'a demandé :

— Au fait, comment ça se passe à l'école ?

— Au collège, maman, je suis au collège.

— C'est pareil. La petite couille molle qui t'emmerdait, comment ça se passe avec lui ?

— Depuis trois mois, il se comporte normalement, il m'agresse plus. On s'ignore. On se bagarre plus. Même Alex en revient pas qu'il soit devenu si aimable.

— Moi, ça ne m'étonne pas. Je suis allée le trouver, ton petit merdeux. Je l'ai pris entre quat-z-yeux, avec un air assez méchant, je lui ai dit que s'il continuait, si j'entendais encore une fois parler de lui, il aurait affaire à moi, que je lui crèverais les yeux, et qu'il n'avait aucune idée de ce qu'on appelle la douleur. Il était terrorisé. Il est vraiment con ce mec, il m'a crue !

Elle a éclaté de rire. Stella n'arrivait pas à croire qu'elle ait osé faire ça. Elle répétait : « Je rêve ! » et ma mère riait aux éclats comme si elle nous avait joué un bon tour. Moi, je la regardais et je me demandais si elle avait compris la raison véritable de mes déboires. Je n'ai jamais réussi à en parler avec elle. Quand elle ne veut pas s'expliquer, elle trouve toujours une excuse pour botter en touche. Mais avec cette histoire, quelque chose s'était cassé en moi, je n'avais plus envie d'être un enfant, plus envie d'apprendre, je m'étais détaché de l'illusion que l'éducation que je recevais pouvait faire de moi non seulement un homme, mais un homme heureux, ce que j'entendais me semblait inutile et gratuit, futile aussi, les profs me paraissaient à côté de la plaque, le collège m'ennuyait à mourir, autant que mes camarades. Je séchais les cours, je bullais, je ne faisais rien de la journée à part écouter de la musique les yeux fermés et pianoter, plus une apparition épisodique au collège le matin ou pour déjeuner à la cantine.

J'avais décroché, comme on dit.

*

Je dois revenir en arrière, au tout premier jour de collège, quand le prof d'histoire-géo nous a séparés, sans comprendre la raison de notre querelle. Je me suis retrouvé au deuxième rang et Rousseau au fond. Mais le lendemain, ça a recommencé.

Et les jours suivants.

Deux bêtes furieuses.

Bien sûr, ni l'un ni l'autre n'évoquait la cause de ces violences, et aucun prof ne comprenait pourquoi nous nous battions sans arrêt, alors on a pratiqué la paix des lâches, on a séparé les belligérants, on m'a changé de classe. Dans la nouvelle, il y avait une seule place de libre, Alex a poussé ses affaires et je me suis retrouvé à côté de lui. La vie a changé, nous avons pu devenir amis. C'est le seul qui ait jamais connu le motif des altercations, et il m'a encouragé à ne rien dire. On a fait notre scolarité ensemble. Alex est du genre premier de la classe. Rarement deuxième. Il est sérieux et appliqué, il écoute les profs avec une telle conviction, buvant leurs paroles, hochant la tête d'approbation, levant systématiquement la main pour répondre, bien, à chaque question, qu'il devient le chouchou, celui qui réussit ses interros, qu'on donne en exemple. Mon contraire. L'école m'a toujours profondément barbé, je ne me souviens pas d'un seul cours qui m'ait intéressé ni d'un seul prof que j'aie aimé. À part une prof d'anglais lumineuse, incroyablement belle, avec des cheveux noirs frisés et un sourire fragile qui me rendait chose, elle faisait un remplacement et elle a disparu sans prévenir en cours d'année. Quand elle s'est adressée à moi, les seuls mots que j'aie réussi à prononcer ont été : «*Sorry, I speak bad english.*» J'ai toujours assuré le minimum vital, par principe, et le peu que j'ai appris, c'est à Alex que je le dois. C'est le seul qui ait réussi à me faire travailler. Comme à la maison c'était compliqué, j'ai pris l'habitude d'aller chez lui. On était tout le temps ensemble. Même pendant les vacances, ses parents m'invitaient dans leur maison de Normandie.

Quand j'avais des problèmes avec Rousseau et ses copains, qu'ils me bousculaient, me traitaient de pédé et de femmelette, que je me bagarrais avec eux, il venait à mon secours et se prenait des dégelées pour m'avoir défendu. Cela nous a rapprochés un peu plus.

Avec Alex, on a une passion commune : le cinéma, on y va une fois par semaine, mais on n'aime pas les mêmes films, moi je suis porté sur les films fantastiques américains, et lui sur les films intellos français. Aussi, pour éviter les discussions, une semaine, c'est lui qui choisit, la semaine suivante, c'est moi. À l'entrée en troisième, il a voulu voir *Les Garçons et Guillaume, à table !* Pour une fois, il ne s'était pas trompé. On a adoré ce film.

En sortant, il avait l'air bizarre. D'habitude, on discute du film. Pas pendant des heures, mais on reprend les principales scènes, on détaille comment elles ont été jouées et mises en scène ; cette fois, il restait muet et me regardait d'un drôle d'air. Il a absolument voulu qu'on aille prendre un chocolat, on s'est assis face à face dans un troquet place de la Bastille. Moi, je parlais du film, lui, il se taisait et me souriait en hochant la tête. J'ai arrêté de parler, il touillait son chocolat, se mordillait la lèvre, évitait mon regard.

— Que se passe-t-il ? ai-je demandé.

Il a continué à tourner la cuillère dans le bol, comme si c'était la chose la plus importante qui soit. Il a fini par lever la tête, il était blême.

— T'es malade ? ai-je poursuivi.

Il a secoué la tête.

— Alors, Alex, c'est quoi le problème ?

— C'est toi, a-t-il murmuré.

— Qu'est-ce que j'ai fait ?

— Je suis amoureux de toi.

— Quoi ?

— Je suis amoureux de toi, Paul.

Je ne savais pas trop quoi répondre. Alex est un garçon émotif, sensible, introverti, j'ai pensé qu'il s'était trompé dans sa formulation, qu'il voulait me manifester son affection, qu'il m'aimait bien.

Rien de plus.

— Non, je t'aime. D'amour.

Il m'a pris la main et l'a serrée. Et il m'a souri comme il ne l'avait jamais fait jusque-là. J'étais désorienté.

— Et ça fait longtemps ?

— Depuis toujours je crois, mais je ne l'ai compris que pendant les vacances. Quand on se changeait dans la cabine sur la plage et que je t'ai vu nu.

— C'est pas la première fois que tu me voyais à poil.

— Oui, mais là j'ai bandé, t'as pas vu ?

— J'ai pas fait attention. T'es pas homo ?

— Si.

— C'est pas vrai ! T'as déjà eu des relations avec des mecs ?

— Ah non, jamais.

— Comment tu sais que t'es homo, alors ?

— Parce que je pense à toi sans arrêt, nuit et jour. C'est terrible, tu sais. Je ne savais pas comment tu réagirais.

— Mais je suis pas homo, Alex. Tu le sais.

— Ce n'est pas grave. Ça n'empêche pas.

J'ai retiré ma main, comme si elle me brûlait.

— Peut-être que ce serait mieux si tu avais une aventure avec un autre homme. Tu verrais comment c'est.

— Ah non, surtout pas. C'est avec toi que je veux avoir ma première expérience. Ensemble, ce ne sera pas pareil. Tu comprends, ce n'est pas que du sexe, c'est de l'amour.

— Pour te parler franchement, je ne suis pas tenté. En fait, je ne suis attiré que par les femmes.

— C'est ce que tu crois, mais tu n'as jamais eu de relation avec une femme, alors comment tu sais si c'est bien ? Avec un homme, c'est pareil. Si tu n'essayes pas, comment tu sauras si tu n'aimes pas ? On pourrait essayer une fois. Juste une fois. Comme ça, on verrait comment c'est. Si ça se trouve, tu aimeras beaucoup.

— Pas question !

— Tu n'es peut-être pas prêt. On en reparlera plus tard.

— Ni maintenant, ni jamais.

— Eh bien je t'attendrai. Je ne suis pas pressé. Tu seras le premier homme de ma vie. Et le seul. Et un jour, nous vivrons quelque chose de grand et de fort. D'unique. Et on s'aimera. Tu verras, nous deux, ce sera une grande histoire d'amour.

*

Est-ce ce film qui a influencé Alex, qui lui a donné le courage de se jeter à l'eau, ou bien était-ce devenu si intolérable à vivre qu'il ne pouvait plus se dissimuler derrière notre amitié ? Cela n'a pas dû être facile pour lui de mettre son cœur à nu, de m'avouer son inclination. J'enviais sa détermination et son courage, moi qui en avais si peu. Il ne m'a pas tenu rigueur de mon refus, cela n'a rien changé à nos relations. À l'exception d'un épisode notable dont je parlerai peut-être, pendant des années il n'a plus fait aucune allusion à ses sentiments. Souvent, en le voyant presque indifférent, je me demandais s'il était toujours dans les mêmes dispositions, s'il n'avait pas évolué, ou eu une aventure, mais je n'avais pas envie de lui poser la question. Quand on allait en vacances en Normandie, j'évitais de me changer en même temps que lui dans la cabine sur la plage. Pourtant, il y avait des signes qui auraient dû m'alerter, il ne me quittait pas, me faisait des tas de cadeaux ; un jour, j'ai dit, comme ça en l'air : « Tiens, j'ai entendu une chanson super de Daniel Guichard, tu connais ? Faudrait que j'aille acheter la partition. » Le lendemain, il m'a offert l'intégrale de Guichard. Idem avec Julio Iglesias, Dalida et Joe Dassin. Cela m'embêtait qu'il me fasse des cadeaux, d'autant que je ne pouvais pas lui rendre la pareille, mais comment refuser. Il m'a offert une foule de BD, un beau pull en cachemire bleu, un foulard, une ceinture en croco et une paire de gants. Quand j'ai cherché à gagner un peu plus d'argent parce que Stella avait du mal à les lâcher, Alex m'a rendu un immense service en m'appuyant auprès de son père pour qu'il me prenne dans sa boîte. Il passait au restaurant à chaque fois qu'il pouvait, s'asseyait dans un coin ou s'accoudait au piano, restait des heures à m'écouter jouer, à tel point que Stella a fini par lui demander s'il n'avait rien d'autre à faire que d'embarrasser le service. Il venait à la maison, racontait ce qu'il faisait au lycée, l'évolution des uns et des autres, les derniers cancans. Le dimanche, on allait au cinéma. Stella nous appelait «les inséparables», et Léna l'avait adopté comme le deuxième fils de la maison, elle l'avait à la bonne, rigolait avec lui, et cela me surprenait. Et puis, il y a eu l'épisode Hilda.

*

Ah, Hilda, rien que d'en parler, je bande encore.

Stella l'avait embauchée pour un stage en cuisine. Elle avait quelques années de plus que moi, et venait en France dans le cadre d'un échange international. La première fois que je l'ai aperçue, je suis resté figé, je n'avais jamais vu une fille si rayonnante, avec un sourire si incandescent et des cheveux aussi dorés. Elle était pâtissière et pétrissait la pâte brisée avec une énergie incroyable. Au début, elle a raté pas mal d'entremets et de gâteaux, à cause, paraît-il, de la farine qui était différente chez nous et du four électrique. C'était indigeste, trop cuit ou trop mou, mais elle s'est accrochée. Je venais l'après-midi pour lui servir de goûteur. On était tous les deux, on parlait, surtout de nourriture, de cuisine et de cuisiniers, je la regardais faire, je n'osais pas me déclarer, j'aurais aimé qu'elle me manifeste de l'intérêt, qu'on discute de choses plus personnelles, mais elle semblait n'avoir qu'une idée en tête : la réussite de sa pâtisserie et l'avis de

Stella. C'était son unique obsession. Et puis elle y est arrivée. Quand elle m'a fait goûter sa tarte à l'orange et aux amandes pilées, j'ai cru mourir de plaisir.

— Je n'ai jamais rien mangé d'aussi bon.

— C'est vrai ? Tu ne dis pas ça pour me faire plaisir ?

On est devenu amis, mais je ne savais pas si je lui plaisais, elle me fixait de ses yeux bleus sérieux et me redonnait du crumble aux fruits confits ou du savarin glacé ou du tiramisu à l'armagnac. À la fin du service, elle me demandait de jouer certains airs, elle adorait *Con te partirò*, et je le jouais systématiquement avec des variations époustouflantes. Enfin, elle se détendait, elle ôtait sa toque, défaisait ses tresses, secouait ses cheveux, et sa blondeur irradiait. «Oh, c'est très beau Paul, rejoue-le encore une fois.» Cette musique la bouleversait, elle me prenait les mains, les serrait contre elle, parfois elle les embrassait. «Encore une fois, je t'en prie.» On aurait pu rester ainsi pendant des heures. Stella était obligée d'éteindre les lumières pour nous faire sortir.

À l'intérieur, c'était merveilleux, c'est dehors que les problèmes commençaient. Sitôt sur le trottoir, elle me faisait une bise et disparaissait avec Carine, la seconde de cuisine. Elle ne répondait à aucune de mes invitations, de mes propositions d'aller boire un verre, de discuter, de faire mieux connaissance, à mes demandes répétées pour qu'elle me parle d'elle, de son beau pays et de sa jolie ville de Graz, de sa vie, de sa famille, de ses goûts. Je l'ai invitée au cinéma le dimanche après-midi, elle a dit : «Oui, on verra, plus tard.» Elle ne parlait pas très bien le français, elle se

60

trompait dans les conjugaisons, je rectifiais avec gentillesse, cela n'a servi à rien. Elle faisait de l'effet à tout le monde dans le restaurant, tout le monde l'aimait ; j'étais pourtant le seul homme dans l'établissement, je n'ai pas su en profiter. Les autres filles de la cuisine lui tournaient autour, les serveuses, les clientes ; même Stella était avec elle d'une amabilité inhabituelle. Je n'ai pas pu ne pas remarquer que Hilda partait et arrivait avec Carine, une fille avec laquelle je n'ai jamais eu d'atomes crochus. Un soir, prenant mon courage à deux mains, je lui ai demandé s'il y avait quelque chose entre elles, j'ai dû expliquer en détail ce que je sous-entendais, parce qu'elle ne comprenait pas bien. Elle a éclaté de rire et elle a affirmé qu'elles n'étaient qu'amies, qu'elles habitaient le même coin de banlieue et qu'elle profitait de son scooter, mais j'avais un doute, connaissant les goûts sexuels de Carine. Hilda est, je peux le dire, la première femme dont je sois tombé amoureux. J'ai commis l'erreur de m'en ouvrir à Alex. D'après lui, c'était perdu d'avance.

Surtout avec les filles.

Il était le seul à qui je pouvais demander conseil. J'aurais dû réfléchir avant de le faire, car sa réaction a été vive, comme s'il était dépité.

— T'es pas jaloux quand même, Alex ?

— Moi, jaloux de cette blondasse bouffie ? Tu rigoles.

— Elle est pas bouffie du tout, et elle est pas blondasse, c'est naturel.

— Qu'est-ce que tu en sais ? Moi, je la trouve vulgaire.

— Tu exagères. Elle est sublime. Tu crois qu'elle est lesbienne ?

— Ça se voit, non ? D'après toi, pourquoi elle bosse ici ?

Je ne voyais rien.

Cette idée me navrait, me liquéfiait. Devais-je tout de même tenter ma chance ? En avais-je une, même minuscule ? Ce fut une période difficile, je dormais mal, je pensais à Hilda, à ses cheveux magnétiques, à ses seins que j'imaginais sublimes. Je ramais comme un fou, jouais *Con te partirò* à en avoir la nausée, mais cela ne produisait aucun effet, sinon que Hilda me manifestait son affection avec des parts de plus en plus grosses de sa divine charlotte aux griottes au rhum, de son fondant aux trois chocolats avec des pépites de nougat et de son millefeuille aux pistaches caramélisées et aux poires pochées, ce qui me faisait encore plus regretter qu'elle ne veuille pas de moi.

Un dimanche, j'ai regardé *Georgia* avec Stella, ma mère ne s'intéressant jamais à ce genre de navets.

Moi, ce film m'a bouleversé.

C'est l'histoire d'un type qui est incapable d'avouer son amour à la fille qu'il aime, et elle part avec son meilleur copain.

Le lendemain, je me suis jeté à l'eau. Je suis allé trouver Hilda à la fin du service. Elle finissait de nettoyer sa paillasse, elle a voulu me donner une autre part de sa zuppa inglese qu'elle réussissait maintenant à mourir, mais j'ai refusé. J'ai attendu qu'on soit seuls.

— Hilda, faut que je te dise quelque chose.

Elle s'est arrêtée de briquer son chinois, m'a fixé avec des yeux interrogateurs.

— Voilà, je suis amoureux de toi.

— Je sais.

— Ah bon !

— Oui. Depuis le début.

— Et alors ?

— Alors, je pars à Barcelone la semaine prochaine.

— Pourquoi ?

— Mon stage est fini. J'en commence un autre là-bas, pour six mois.

— Et après, tu reviendras ?

— Après, si tout va bien, j'irai à Londres dans un grand hôtel. Ou à Venise. On verra.

Voyant mon air dépité, elle m'a proposé à nouveau de la zuppa inglese, que j'ai acceptée. Carine lui a dit de se dépêcher car elle était à la bourre. Elle a rangé son chinois, a enlevé son tablier blanc, l'a accroché dans l'armoire, s'est habillée et m'a demandé de me bouger car je bloquais le passage. Je me suis écarté. Elle s'est immobilisée devant moi, on est resté face à face quelques secondes. Elle s'est avancée, j'ai fermé les yeux, elle sentait la vanille, elle a déposé un baiser sur ma bouche. Un petit baiser de rien du tout. Qu'est-ce que c'était bon. Quand j'ai rouvert les yeux, elle avait quitté la cuisine et j'ai entendu le bruit d'un scooter qui démarrait dans la rue.

*

Hilda fut mon premier chagrin d'amour. Je ne me résolvais pas à son départ, et surtout je ne savais pas si elle avait pour moi le moindre sentiment, s'il y avait une minuscule chance pour nous, même plus tard, ou si c'était perdu parce qu'elle n'aimait pas les hommes. Cette incertitude me minait. J'ai caressé le projet de la rejoindre à Barcelone, alors que je ne savais ni dans quel restaurant elle travaillait ni où elle habitait. J'ai questionné Stella, mais je ne possédais pas les outils féminins de l'interrogatoire subtil. Elle m'a demandé si Hilda m'intéressait. J'ai protesté que non, qu'elle m'avait prêté un livre et que je voulais le lui rendre.

— Quel livre t'a-t-elle prêté ?

Je suis resté bouche bée, incapable de répondre.

— Un livre sur la pâtisserie, probablement ?

Le lendemain, au petit déjeuner, j'ai eu la surprise de voir arriver Léna, qui ne se levait jamais aussi tôt. Elle avait sa tête des mauvais jours.

— 'Jour. Tu veux du café ?

Elle s'est assise en face de moi, je lui ai servi un bol de café, elle n'y a pas touché.

— C'est quoi cette histoire ?

— Quelle histoire ?

— C'est qui cette fille pour toi ?

— Rien, c'est une amie.

— Il paraît que tu fais le joli cœur. Qu'est-ce qu'il y a entre vous ?

— Rien, je te dis.

Elle m'a considéré par en dessous et a fait la moue.

— Tu me le dirais, s'il y avait quelque chose ?

— Bien sûr.

— J'espère. Il faudra qu'on parle un jour.

— De quoi ?

— De qui tu es vraiment, et de qui j'ai en face de moi. Je t'ai éduqué pour que tu sois libre, Paul. Dans la vie, il faut savoir qui on est, et choisir son camp. Tu comprends ?

Je ne savais que trop ce qu'elle sous-entendait. Je l'ai déjà évoqué, ma mère n'est pas quelqu'un d'indulgent. Pour elle, ce n'est pas un défaut, c'est une tare. La pire de toutes étant l'hétérosexualité. Elle déteste cordialement une foule de gens qu'elle ne connaît pas et ne fait aucun effort pour aller vers eux, elle évolue sans aucun problème dans un univers binaire et cloisonné : on est avec elle et comme elle ou contre elle, ce système lui convient parfaitement et elle n'a aucune intention d'en sortir. Aujourd'hui, tout le monde a l'esprit ouvert. Et compréhensif. C'est devenu une vertu cardinale. Comme elle le répète, à force de tolérer et de respecter tout et n'importe quoi, il ne faut pas s'étonner si ça part en vrille. Notre société, au-delà de son premier cercle, n'existe pas. Elle s'en contrefiche totalement. Si je lui demandais quel est le nom du président de la République ou du Premier ministre, je suis certain qu'elle ne saurait pas répondre.

*

J'ai attendu quelques jours, rongé par le doute, persuadé que Hilda allait m'écrire, refusant d'admettre qu'elle m'avait déjà oublié. Je me demandais si elle connaissait mon adresse, ou peut-être hésitait-elle à m'envoyer une lettre au restaurant ? Et puis, un soir, j'ai joué *Con te partirò*, comme si elle était encore en cuisine et qu'elle pouvait m'entendre. Et comme un idiot, je me suis mis à pleurer. Je n'avais pas envie de pleurer mais ça coulait tout seul, et je reniflais. Je jouais pour elle qui était à mille kilomètres, et je me suis décidé à la rejoindre. Je me disais que même si j'ignorais où elle habitait et où elle travaillait, je finirais par la retrouver. Même dans une ville immense comme Barcelone où il y a des centaines de restaurants. Parce que l'amour soulève des montagnes et qu'il y a forcément des miracles pour ceux qui s'aiment. Personne n'a remarqué mes larmes, je les ai séchées, et je me suis juré de ne plus jamais jouer cette maudite chanson.

Comme je suis d'un naturel assez dépensier, mes économies étaient maigres, juste assez pour me payer le bus et rester quelques jours dans une auberge de jeunesse, sans manger grand-chose. J'ai demandé à Alex s'il pouvait me consentir un prêt, c'était déjà arrivé deux fois, pour des sommes plus modestes il est vrai, et je l'avais intégralement remboursé. Je pensais qu'il me fallait avoir devant moi de quoi rester une quinzaine de jours au moins. Cette somme n'était pas un problème pour lui. Il avait la chance d'avoir des parents prévoyants et possédait un livret de Caisse d'épargne avec une somme rondelette qui m'aurait permis de rester deux ans là-bas.

— C'est pour partir à Barcelone ? Tu veux aller la retrouver ?

— Je ne sais même pas où elle habite.

— Réfléchis un peu : Barcelone est plus étendue et plus peuplée que Paris. Tu n'as aucune chance de la retrouver. Il te faudrait des mois, des années peut-être. Et puis, qui te dit qu'elle a envie de te revoir ?

J'ai été obligé d'expliquer en détail que Léna me posait un problème insurmontable : depuis quelques jours j'avais droit à la soupe à la grimace, je n'avais pas envie de devoir me justifier, je ne me sentais pas de force à batailler sur ce terrain avec elle, et je préférais éviter la confrontation.

— Laisse-moi un peu de temps, je vais trouver une solution.

*

Au *Petit Béret*, la vie se poursuit mollement, Stella a estimé que ce serait mieux que j'améliore ma tenue habituelle.

Question de standing.

Elle a trouvé deux vestes de smoking, l'une bleu roi et l'autre prune, lamées de fils d'argent, un peu grandes pour moi, mais, reprises à la taille et dissimulées derrière mon clavier, ça passe inaperçu. J'alterne. Stella me laisse libre de choisir. Je m'en fiche d'avoir l'air de ce que je suis, car personne ne fait attention à la pianiste, là-bas dans le fond. Peut-être que si j'avais un piano digne de ce nom, au lieu du banal instrument que j'utilise, je jouerais mieux. Son seul avantage est qu'il ne prend pas de place ; si j'avais un piano à queue, les clientes entendraient la différence, ce serait enfin de la musique digne de ce nom, j'en ai trouvé un d'occasion à un prix raisonnable, j'ai abordé la question avec Stella, elle m'a dévisagé sans comprendre.

— Qu'est-ce qu'il a ton piano ? Il ne marche pas bien ? Tout le monde est très content.

La nouvelle pâtissière est aussi aimable qu'une skinhead, son millefeuille est spongieux et son crumble gavé de beurre, pourtant Stella semble ravie de sa recrue. Je joue sans enthousiasme, par habitude, le minimum syndical, personne ne s'en rend compte. Et le pire, c'est que moins j'y mets de cœur, plus les pourboires augmentent. À croire que la fadeur et la banalité sont mieux récompensées que le talent et la passion. Je suis devenu aussi transparent que la musique que je joue. Je dis bonjour, je souris aux autres, mais elles ne se doutent pas des affres que je traverse. Elles disent toutes que j'ai une mine superbe. Surtout dans mon smoking de bateau de croisière. J'arrive à dissimuler mes états d'âme avec suffisamment d'habileté pour que personne ne puisse déceler quoi que ce soit dans mon attitude. À la maison, je vois au regard noir de ma mère que mes dénégations ne l'ont pas convaincue, mais je louvoie et j'évite le contact direct. Je pars avant son réveil, reviens avec Stella et je vais me coucher immédiatement. Alex a disparu, je ne sais pas ce qu'il fiche. Je n'ai pas envie de lui téléphoner pour lui demander.

Le mercredi, en rentrant à minuit, on a trouvé Léna dans le salon en train d'écouter Crucified Barbara à fond, à croire que nos voisins sont sourds ou morts, elle refuse de mettre un casque, prétextant qu'elle a besoin de sentir vibrer les basses. J'ai filé dans ma chambre, je me suis couché, mais pas facile de s'endormir avec ce boucan. Et puis il a cessé, j'ai éteint la lumière et me suis calé dans mon lit en cherchant le sommeil. Deux minutes plus tard, ma mère a fait irruption en allumant la lumière. Elle a pointé vers moi son index.

— Tu n'espères pas te défiler toute ta vie quand même ? Il faut qu'on cause, tous les deux. Et sérieusement. Ne prévois rien pour dimanche après-midi ! Compris ?

Elle est sortie en claquant la porte et sans éteindre la lumière. Mon compte est bon. Je n'ai pas fermé l'œil de la nuit. Je ne sais pas si je dois partir tout de suite à Barcelone ou attendre l'explication de gravure. J'ai trois jours devant moi. Ça me rappelle la blague, l'histoire du type qui saute d'un immeuble, et à chaque étage, il se dit : Jusqu'ici, tout va bien.

*

Le compte à rebours a commencé. Cette fois, je n'y échapperai pas. Ce n'est pas de la bataille ni des coups que j'ai peur, je n'ai jamais hésité à me colleter avec Rousseau et ses potes, même en sachant que j'allais me faire démolir, mais l'idée d'affronter Léna me tétanise. Je me raisonne, je m'encourage à avoir avec elle une conversation calme et réfléchie, je sais pourtant que je m'aventure sur un terrain miné.

Pour elle, l'hétérosexualité est rien de moins qu'une abomination, on sent sa répulsion à la manière dont elle l'évoque, il lui est impossible de se contrôler, c'est instinctif, un dégoût qui vient du plus profond d'elle et qui la submerge. Que je ne partage pas cette aversion sera perçu comme une trahison, sur ce sujet il n'y aura jamais de discussion posée, ce sera toujours passionné et électrique. Je me dis que je dois trouver le courage de percer l'abcès, mais, l'instant d'après, ces bonnes résolutions s'évanouissent et la panique revient. À un moment, quand vous êtes cerné par les flammes, que vous sentez la chaleur sur votre visage, vous ne pouvez plus reculer, il faut vous jeter à l'eau, même si vous ne savez pas nager. Je préfère fuir. Le prix du voyage en bus pour Barcelone est dans mes moyens, le jeudi j'achète un billet aller, départ dimanche neuf heures, je prépare un sac avec mes affaires. Là-bas, j'aviserai. Les Espagnols ont-ils besoin de pianistes ? Je connais un peu Julio Iglesias. Le vendredi, j'investis dans *L'Espagnol pour les nuls*, ça n'a pas l'air trop difficile, *Ole hombre, vamos a la playa*, je potasserai pendant le trajet. Le samedi, j'écris un mot à Stella pour m'excuser de la lâcher aussi brutalement et sans lui laisser le temps de se retourner. Je lui demande de ne pas s'inquiéter, de ne pas essayer de me retrouver, et je promets de donner des nouvelles dès que possible.

Ce soir, c'est ma dernière au *Petit Béret*, je ne peux rien dire à personne. Je fais comme si : « Bonsoir, comment ça va, et toi… ? » Je me mets au piano, et je joue. En sourdine. Pour moi. Ma playlist. Pas forcément les morceaux que je joue d'habitude. Le restaurant se remplit rapidement. À huit heures, on est complet. Je me fais un récital Platters, peut-être que je ne jouerai plus avant longtemps.

Hardi les cœurs !

C'est un nouveau départ, une nouvelle vie qui m'attend. Peu importe que je retrouve ou non Hilda. Bien sûr, ce serait mieux si j'y arrivais et qu'il se passe quelque chose entre nous. Mais pour moi, le plus important est de réussir à couper ce foutu cordon.

Et puis, à neuf heures trente-sept précises, catastrophe, Léna apparaît, avec son éternel perfecto ! Elle ne vient quasiment jamais au *Petit Béret*. Elle fait un salut de la main à Stella, qui est en train de préparer une addition et a l'air étonnée de la voir. Ma mère traverse la salle et se dirige droit vers moi. Je disparais derrière mon piano, je fais comme si je ne l'avais pas vue. Je me dis qu'elle n'osera pas faire un scandale ici, au milieu de la clientèle, mais je n'en suis pas sûr. J'aperçois ses jambes, elle a son pantalon en cuir noir. Elle a posé sa main sur la caisse du piano. Je n'en finis pas avec *The Great Pretender*, j'enchaîne variations et pirouettes, à m'emmêler les pinceaux, j'espère que là-haut Buck Ram ne m'en voudra pas d'avoir fait durer son génial morceau une douzaine de minutes. Je déroule encore quelques broderies désespérées sur *Still Around*, et puis il a bien fallu s'arrêter. Ce fut brutal. Je lève la tête, le souffle court. Ma mère est face à moi.

Et elle me sourit !

Je ne comprends pas ce sourire.

Il me panique plus que si elle avait l'air furieuse. On reste quelques instants ainsi. Je ne l'ai jamais vue aussi rayonnante.

— C'est magnifique, mon chéri. Cela fait un moment que je ne t'avais pas entendu. Tu as fait de sacrés progrès. Tu te débrouilles drôlement bien. Là, tu m'épates.

— Tu trouves ? Vraiment ?

— C'est mieux que bien. Ce n'est pas le genre de ziquette dont je raffole mais là, j'apprécie. Génial ce que tu fais. Il n'y a rien d'autre à dire. Bravo, mon grand.

Je reste bouche ouverte, sur mes gardes comme si c'était une ruse, elle ne m'a pas habitué à autant de gentillesse, pourtant il n'y a pas le moindre doute, c'est bien elle qui se tient là, devant moi, tout miel. Stella nous rejoint, vaguement inquiète elle aussi.

— Il y a un problème ?

— Je disais à Paul qu'il était formidable. Tu ne trouves pas ?

— Les clientes l'adorent.

— Cela ne m'étonne pas. Vas-y, continue. Je ne veux pas déranger. Joue-moi quelque chose, Paul, rien que pour moi.

— Que veux-tu que je joue ?

— Ce qui te fait plaisir, je suis sûre que ce sera parfait. J'ai la gorge sèche, Stella, il reste du champagne ?

— Évidemment.

— Alors, qu'est-ce que t'attends ? C'est ma tournée.

Stella me regarde. Elle ne comprend pas plus que moi cette métamorphose. Elle débouche une bouteille de Cristal. De mon côté, je pars dans une impro de *Love Me Tender* qui met ma mère aux anges. Nous trinquons et retrinquons. Elle demande une autre bouteille, invite plusieurs clientes à se joindre à nous, précisant qu'elle est la mère de la pianiste. Stella retourne au service, Léna s'assoit sur un tabouret au bar, propose aux serveuses une coupe de champagne, me montrant son pouce avec insistance à la fin de chaque morceau. À la pause, je me penche vers Stella.

— Qu'est-ce qu'elle a ? Elle a trop sniffé ? Je ne l'ai jamais vue comme ça…

— Moi non plus.

Ma mère n'a jamais été aussi gracieuse, elle a rajeuni de dix ans, rit pour un rien, blague, et elle, si avare de marques de complicité, non seulement me prend par l'épaule, mais m'embrasse sur la joue. Je cherche dans ma mémoire la dernière fois que cela est arrivé, je ne me rappelle pas. Après la fermeture, nous rentrons à la maison bras dessus, bras dessous. Elle ne résiste pas au plaisir de se rouler un pétard, m'en propose une taffe, elle plaisante, veut prendre un dernier verre dans un bar, Stella râle un peu parce qu'elle est fatiguée, mais Léna insiste, et on finit la nuit dans un pub australien survolté de la Bastille. N'y tenant plus, je demande à ma mère ce qui se passe. Elle me fixe avec intensité, le regard grave.

— C'est que je suis heureuse, c'est tout. Et fière de toi.

Le dimanche s'est déroulé comme un enchantement de dimanche, à croire que ma mère avait été transformée par un coup de baguette magique. Nous sommes allés au cinéma. Aussi invraisemblable que cela paraisse, cela n'était jamais arrivé, j'y allais souvent avec Stella quand j'étais plus jeune, mais jamais avec Léna. Pris au dépourvu par sa demande, nous n'avons trouvé qu'une séance à côté de chez nous et avons vu *Gravity*. Je redoutais sa réaction face à cette grosse machine hollywoodienne, mais elle a été sincèrement emballée par ce film, ne tarissant pas d'éloges sur la prestation des comédiens, le suspense, le réalisme et l'humanité de cette histoire, elle nous a épatés quand elle s'est reproché d'avoir négligé ce plaisir dominical, et elle a pris la résolution de nous accompagner, Alex et moi, chaque semaine. Ce jour-là, nous avons fait des choses d'une banalité inattendue, que des millions de gens font le dimanche : nous nous sommes baladés sur les boulevards, nous avons fait du lèche-vitrines, et mangé une glace, nous ne nous sommes pas dit des choses d'une grande profondeur philosophique, nous étions tout simplement heureux d'être ensemble.

En me couchant, je me suis souvenu que j'avais pris un billet pour Barcelone, j'ai été soulagé de pouvoir renoncer à ce voyage. J'espère qu'ils vont me rembourser. Il devrait y avoir d'autres moyens de retrouver Hilda, par Internet et les réseaux sociaux. Avant de plonger dans un sommeil délicieux, je me suis

longuement demandé ce qui avait occasionné ce changement inouï, quel miracle avait frappé ma mère, j'ai
retourné la question dans tous les sens, j'ai cherché,
mais je n'ai pas trouvé.

*

Les miracles, c'est ce que nous ne pouvons pas
expliquer, cela ne veut pas dire que c'est miraculeux
mais uniquement que nous sommes des ignorants.

Le lendemain, j'ai reçu un appel d'Alex qui voulait
me voir. Je suis allé le chercher à la sortie du lycée
Arago. J'ai croisé quelques têtes connues, on m'a interrogé sur mon activité. J'ai répondu d'un air important
que je n'avais plus beaucoup de temps libre. Alex
est arrivé, nous sommes allés prendre un café. Il m'a
demandé comment ça allait à la maison.

— C'est incroyable, ma mère s'est métamorphosée.

— Cela ne m'étonne pas.

Alex avait un air mie de pain, inhabituel chez lui.

— Paul, j'ai une bonne et une mauvaise nouvelles
pour toi. Je commence par laquelle ?

— Vaut mieux commencer par la bonne.

— Samedi, je suis allé voir Léna. Au *Studio*.

— Elle t'a laissé entrer ! Et que lui as-tu dit ?

— La vérité.

— C'est quoi la vérité, Alex ?

— Que je suis amoureux de toi, Paul. De plus en
plus.

— Et qu'a-t-elle répondu ?

— Elle m'a demandé si je te l'avais dit. Je lui ai avoué que tu le savais depuis longtemps. Que c'était notre secret.

— Et alors ?

— Elle a eu l'air drôlement contente. Elle m'a embrassé ! Pourtant, je n'ai pas menti, je n'ai pas raconté de bobards. Je t'aime, et tu le sais, depuis longtemps, le reste c'est elle qui l'a imaginé. Et ça, j'y peux rien. Je n'ai pas changé, et je ne changerai pas. Je crois que tu n'auras plus de problèmes avec elle.

Je suis resté un moment songeur, j'essayais de mesurer les effets de sa déclaration. Cela me gênait, mais si je devais la juger au résultat, c'était plus que bénéfique.

— Et puis, il y a autre chose, a dit Alex.

Il a relevé la manche de sa chemise. Sur l'intérieur de son bras, à proximité de l'angle du coude, il y avait tatoué : *Paul*, en style old school, en lettres noires et rouges épurées, sans ombre, avec un contour qui partait du *l* et s'enroulait élégamment jusqu'au *P*. Je croyais que ma mère détestait ce genre de tattoo, très traditionnel.

— C'est moi qui lui ai demandé. J'ai insisté pour la payer mais elle a tenu à me l'offrir. Elle a dit que j'étais le premier mec qu'elle tatouait. Et certainement le dernier.

Il n'y a pas de miracles.

Jamais.

Il n'y a que des mystères, provisoires, et des gogos.

Il y a toujours une explication. Alex m'a rendu un service extraordinaire. À partir de ce jour, Léna m'a fichu une paix royale. Pour elle, la question était réglée. Pour sûr, ce n'est pas bien de mentir à sa mère, mais je n'ai pas menti, je n'ai rien dit. La vérité, c'est l'enfer. Alex non plus n'a pas menti. Il vaut mieux rester dans le doute que de patauger dans une guerre de tranchées ou se déchirer. L'ambiguïté me va comme un gant. C'est la preuve que l'important, ce n'est pas ce que vous êtes vraiment, ça les autres s'en foutent, l'important, c'est l'image que vous donnez, ce qu'ils croient que vous êtes. Et si vous voulez avoir la paix, autant ne pas les décevoir.

*

La mauvaise nouvelle, c'était Hilda.

Alex avait vérifié, elle n'habitait pas à côté de chez Carine, elle habitait avec Carine. Comme souvent, paraît-il, tout le monde le savait, sauf moi. Cette nouvelle m'a dévasté. Peut-être que si j'allais à Barcelone, que je la retrouvais, j'arriverais à la faire changer d'avis.

— T'es con ou quoi ? Laisse tomber, t'as aucune chance, hormis celle de te ridiculiser. Si elle pense à toi, si elle veut te revoir, elle a ton adresse, ton portable, ton mail, et ceux du resto. Tu as reçu combien de messages depuis son départ ?

Alex est quelqu'un d'incroyablement logique, il n'y avait rien à rétorquer à cet argument. Il avait raison, et cela m'anéantissait. C'était un immense chagrin. Il m'a remonté le moral, elle ne valait certainement pas la peine de tant d'attentions, je devais en tirer des conclusions, ne plus m'enflammer bêtement, et penser à l'avenir. Basta Barcelone.

Cet épisode, malgré sa conclusion heureuse avec Léna, a fait éclore ma décision de quitter le nid familial. Jusque-là c'était une sensation confuse, c'est devenu une certitude, une évidence, je devais m'affranchir de la tutelle maternelle, m'envoler, loin si possible, parce que si je restais sous son regard, je risquais de devenir comme elle, aussi intolérant et coupé du monde. Avec elle, je serais toujours en porte-à-faux, dépendant et assujetti à ses toquades. Je devais partir. Fallait-il auparavant être autonome financièrement ? Ce n'est pas ce que je gagnais au *Petit Béret* qui me permettrait de payer un loyer ou une colocation, c'était de l'argent de poche. Mais que faire quand vous avez seize ans et que vous ne savez rien faire d'autre que pianoter ? En plus, j'étais pressé, je n'avais pas le temps d'apprendre un métier, je n'avais pas d'envie particulière et aucune idée d'une profession qui me comblerait pour les quarante-deux années suivantes, rien qui m'attirait, rien qui me tentait. Je tournais et retournais ce problème dans ma tête et ne trouvais aucune solution.

Avec Léna, l'ambiance était au beau fixe, il n'y avait aucune urgence à déguerpir. J'avais un peu de temps devant moi pour réfléchir. Je me suis mis à éplucher les petites annonces, mais il n'y avait rien d'exaltant, je me suis présenté pour être vendeur de chaussures de sport dans un magasin aux Halles, on m'a trouvé trop jeune, ainsi que pour un poste d'équipier dans une sandwicherie. Alex voyait que j'étais préoccupé. Comme il n'arrêtait pas de me tanner, j'ai fini par lui expliquer. Il allait y réfléchir de son côté mais il pensait que je ferais mieux de reprendre le lycée. Pour lui, en seconde, ça marchait bien, il envisageait de préparer une école de commerce et ne comprenait pas à quel point cette question était vitale pour moi.

Je devais couper le cordon.

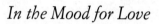

In the Mood for Love

Je change de McDo systématiquement, j'y vais trois fois par jour, les bons jours quatre, jamais deux fois de suite dans le même, croyez-moi, ce n'est pas de la maniaquerie, par contre j'ai des habitudes, pour rien au monde je ne raterais le coup de feu, autour de treize heures, quand la salle est bondée, que les gens se bousculent, s'interpellent, qu'on a du mal à s'entendre, quand il y a de la fébrilité dans l'air, c'est le meilleur moment pour découvrir la réalité, *les choses cachées derrière les choses*, avant midi il y a moins de monde, l'après-midi c'est plus calme, et à partir de quinze heures, les habitué(e)s vous le confirmeront, c'est le lieu de drague idéal, un peu cheap peut-être, où celles et ceux qui ont du temps à perdre viennent glander et cavaler. Mais pas moi. Jamais. Ce n'est pourtant pas l'envie ni les occasions qui manquent, c'est juste qu'il faut, comme dit Léna, savoir qui on est et ne pas mélanger les sentiments, ça m'emmerderait de rencontrer quelqu'un ici, il y aurait comme un malaise.

La clim est mal réglée, il fait une chaleur excessive, à moins que ce ne soit fait exprès, mais j'en doute. Un tour aux toilettes au sous-sol : chez les pisseuses, il y a l'embouteillage habituel, qui m'expliquera ce mystère ? Chez les mecs, des papiers par terre, un mégot, l'empreinte d'une main sur le miroir, un robinet qui fuit, pas terrible. Je remonte, j'hésite à utiliser la borne automatique, il y en a une en panne et la queue aux autres, je renonce à la borne. Je m'intègre dans la foule qui patiente, je choisis toujours la même file, celle du milieu, je prends toujours le même menu, le Big Country, c'est plus pratique. Avant je choisissais le Best Tex, mais ils l'ont arrêté. Ce n'est pas qu'il y ait une grande différence, au goût il n'y en a aucune, sauf quand on remplace la moutarde par du ketchup, et encore. On avance lentement. Huit minutes d'attente, c'est beaucoup. Trois clients devant moi. La file de droite va nettement plus vite, je me suis fait doubler par trois personnes, et par deux sur la gauche. L'équipière, une rouquine débutante, qui sert ma file semble un peu dépassée, elle maîtrise mal sa caisse enregistreuse et n'est pas synchrone avec la fille qui, derrière elle, met les sandwichs dans les boîtes. Ça avance enfin. Un seul client devant moi. Treize minutes ! C'est dingue ! J'ai attendu, j'aurais pu partir.

— Bonjour, je voudrais le Big Country, s'il vous plaît. Mais je ne veux pas de maïs avec la salade.

— Je crois que ce n'est pas possible, monsieur.

— Hier, c'était possible, pourtant. Je suis allergique au maïs. Je risque une crise d'allergie. Vous voulez que je meure ici ?

— Je vais voir ce qu'on peut faire.

La rouquine va parler à l'équipier qui cuit les viandes. Il fait non de la tête. Elle me désigne du doigt. Il y a une brève discussion entre eux. Le cuistot, un Noir d'un mètre quatre-vingt-quinze, grommelle mais accepte. Elle revient vers le comptoir.

— On vous le prépare. Ce sera prêt dans une minute.

— Quarante-neuf secondes normalement, onze pour le pain grillé, quatorze pour le ketchup et la salade, et vingt-quatre pour cuire la viande. Et huit pour la mise en boîte. On doit rester en dessous de la minute. Par contre, les frites, je les aime bien cuites. Hier, elles n'étaient pas dorées. Et le cheddar, il faut qu'il soit fondu, mais pas coulant. Et ce sera avec un Coca. Glacé.

Ma petite équipière retourne voir le cuistot, transmet mes demandes, il me dévisage d'un air mauvais mais s'exécute. Derrière moi, des râleurs trouvent que ça ne va pas assez vite. Moi, j'ai attendu sans faire de réflexions désagréables. L'équipière dépose mon sandwich emballé, ma portion moyenne de frites et mon soda. Je tends ma carte de crédit. Elle me rend la contremarque de débit.

— J'ai besoin du ticket de caisse.

Elle me le donne avec un sourire.

— Merci, mademoiselle, c'est bien de garder le sourire.

Je prends mon plateau. Les gens ne sont pas patients, j'entends « Quel chieur, celui-là ! », je ne m'abaisse pas à répondre, on est au resto, non ? On n'est pas des robots, on a le droit de choisir, de vivre un peu, je souris à la cantonade. J'essaye de trouver une place. Pas facile dans la cohue. La plupart des tables ne sont pas nettoyées, il y a des taches, des auréoles, des clients ont laissé des serviettes usagées ou des gobelets renversés, les plateaux s'entassent sur les poubelles. Il n'y a qu'une fille qui s'occupe du nettoyage, elle a disparu dans le back office. Je m'installe sur un bout de comptoir, face à la fenêtre, il y a de la buée. J'examine mon déjeuner avec attention, je goûte une frite. Ça va, elle est chaude, trop craquante peut-être. Je déplie le papier, mon burger fait les sept centimètres réglementaires, j'enlève le pain du haut, il y a quand même deux grains de maïs dissimulés sous la tranche d'oignon, la viande est à point, mais le cheddar n'est pas assez fondu, la sauce western est au milieu de la viande, il devrait y en avoir sur toute la surface, l'ensemble est tiédasse. Je renifle le sandwich, il ne sent rien, vraiment rien, je remets le chapeau dessus. Ma voisine, une brune joufflue aux cheveux en bataille qui mâchouille en bouquinant un code du travail, me considère avec attention.

— C'est pas bon ? demande-t-elle la bouche pleine.
— J'aime bien savoir ce que je mange. Pas toi ?
— Ben si, mais c'est toujours pareil.
— Comment as-tu trouvé ton burger ?
— Très bon.
— Moelleux ?
— Oh oui.
— Et la viande est-elle savoureuse ?

— Absolument.

— Tu dirais que ton sandwich est fameux ou magique ?

— Il est très bon.

— Et ta portion de frites, elle te paraît copieuse, ou fantastique ?

— Comme d'hab.

— Tu viens souvent ici ?

— Tous les midis.

— Globalement, tu dirais que tu es satisfaite ou très satisfaite ?

— Je suis très contente de t'avoir rencontré.

Elle est presque jolie quand elle sourit, elle a du ketchup à la commissure des lèvres. Je lui propose mon plateau, elle est ravie. Je quitte la volière, il faut que je me bouge si je veux m'en faire un autre avant la fin du coup de feu.

*

J'étais en forme, je me suis tapé encore deux McDo après celui-là, je tiens la moyenne, le plus pénible, c'est les trajets d'une banlieue à l'autre, sinon c'est le train-train, ou presque. Les mêmes menus, les mêmes équipiers, les mêmes clients, et cette gaieté synthétique, cette absence de surprise qui poussent à revenir, malgré la bouffe, ou grâce à elle, ici les tares et les défauts sont devenus des qualités.

Pour celles qui sont un peu dures à la détente, je suis client mystère.

Depuis près d'un an maintenant.

Mystère, cela veut dire que je suis payé pour jouer au client, que personne ne doit s'en douter, sinon c'est foutu, on aurait l'air con et je risquerais de perdre mon job. En général, le franchiseur veut vérifier que le franchisé respecte la charte et les consignes, mais ça peut être une banque ou une administration qui teste l'accueil ou la manière dont les services sont rendus ou vendus, et la meilleure façon de s'en rendre compte, c'est d'aller sur le terrain, in vivo comme ils disent ; cette vérification est confiée à une société extérieure qui gère des intervenants comme moi. On pourrait croire que c'est un job de flic, qu'on espionne et qu'on dénonce, mais après tout on ne se cache pas, on se comporte comme un client lambda, peut-être un peu plus embêtant et tatillon, mais pas obligatoirement, et cela n'a jamais choqué aucun employé, habitués qu'ils sont à supporter les casse-pieds, qui sont légion, d'autant qu'on ne relève jamais le nom des personnes, les rapports sont toujours anonymes, c'est le site qui est évalué, pas les salariés, ça évite que le paquebot s'échoue avant que le capitaine ne s'en rende compte, ça permet de rectifier le cap.

J'ai l'âge parfait pour la restauration rapide, une tête de cœur de cible, me jure Marc, personne ne se méfie d'un jeune à l'air ahuri, non ? Surtout moi, avec ma gueule d'ange. J'aimerais changer, mystérer chez Darty ou à la Fnac, au Louvre ou à la Poste, mais ma boîte ne bosse pas pour eux, et il paraît que je suis sacrément efficace pour les sandwicheries. À force de râler, j'ai obtenu d'aller une fois par mois chez

Jacques Dessange, jamais le même bien sûr. Je note si le personnel est souriant, si la coupe correspond à mon attente, si on m'a proposé la manucure ou d'acheter un shampoing. Je n'ai pas l'âge de me fader les franchises d'opticiens et de vêtements, ni les chocolatiers belges ni les hôtels de chaîne ou les supermarchés, pour ça ils prennent des vieux, des gens qui ont une bagnole pour aller dans les zones commerciales, je connais un couple de retraités, assez sympas, des anciens profs, ils bossent plus qu'à l'époque et continuent à noter, sans états d'âme, ils jouent la comédie à la perfection. Mémé, on lui donnerait le bon Dieu sans confession, elle a le chic pour faire perdre patience au vendeur le plus calme et le mieux disposé, tellement elle arrive à faire croire qu'elle ne pige rien à rien.

Quand je sors du commerce, je me connecte avec mon smartphone à l'appli de la boîte, je tape mon identifiant et mon mot de passe, je suis alors géolocalisé. Je remplis mon rapport en quelques minutes en cochant les cases appropriées, une trentaine pour chaque visite, avec la possibilité d'ajouter des commentaires, mais j'en laisse rarement, et j'envoie. Tout est examiné : la propreté des lieux, la présentation du personnel, sa disponibilité, l'accueil, le service, les offres d'achat, le respect des consignes et les points spécifiques demandés par chaque enseigne. Très important : il faut garder le ticket de caisse pour se faire rembourser. Normalement, il faudrait manger chaque hamburger, mais je me contente d'y goûter, une demi-bouchée, je coche la case 3 : conforme. Les tests ne sont pas bien payés, il faut en faire beaucoup pour arriver à en vivre, la plupart des intervenants cumulent plusieurs boîtes, pas moi. J'arrive à faire trois-quatre visites par jour, à la fin du mois ça fait un salaire maigrelet, et le soir, avec *Le Petit Béret*, je n'ai pas le temps de bosser plus, mais surtout, Marc, mon patron, est un ami.

Presque la famille.

*

Alex m'a sauvé la vie. Encore une fois. Peut-être que s'il m'avait demandé avant, j'aurais refusé, par principe, parce que je me sens débiteur à son égard, mais Marc m'a mis devant le fait accompli. Marc est le père d'Alex, dans sa boîte ils font aussi du conseil et de la formation. Je le connais depuis que je fréquente son fils. Marc et Laura, sa femme, ont été ravis de me voir apparaître dans la vie d'Alex ; j'étais le premier ami qu'il invitait chez eux. Quand j'étais en sixième, Laura a fait des efforts louables pour entrer en contact avec Léna, elle voulait obtenir son autorisation pour m'emmener en vacances dans leur maison de Normandie. Elle a laissé en vain plusieurs messages sur notre répondeur, elle lui a écrit, Léna n'a pas répondu.

— Tu sais, Paul, m'a dit Laura, si ta mère ne me donne pas son accord, on ne pourra pas partir ensemble. Il y a un problème ?

— Quel problème ? ai-je menti.

Je me suis résolu à en parler à Léna, sa réponse a été claire :

— Elle fait chier, de quoi elle se mêle, cette dinde ?

Je suis revenu à la charge, Léna m'a envoyé péter. J'étais embêté à leur égard, je ne pouvais pas leur révéler la réalité. Quelques jours avant le départ, Stella a pris l'initiative de téléphoner à Laura. Encore une fois, elle a trouvé plus simple de se faire passer pour ma mère, elle a raconté qu'elle menait une vie de folle, rentrait à des heures pas possibles, s'est excusée d'avoir tardé à répondre et s'est déclarée ravie que je puisse partir avec eux respirer le bon air normand.

J'ai fini par vivre plus chez Alex que chez moi. Léna et les parents d'Alex ne pouvaient pas s'entendre. Ces derniers incarnent tout ce qu'elle déteste, ils sont hétéros, cool, socialos, ils adorent les musées et Johnny Hallyday, et donnent quinze jours de leurs congés à une ONG africaine. Encore aujourd'hui, ils sont persuadés que c'est ma mère qui répond au téléphone et donne son autorisation pour que j'aille avec eux en vacances, je ne vais pas les détromper. Quand, par hasard, Léna décroche, cela donne une conversation surréaliste :

— Allô, bonjour, c'est Laura, la maman d'Alex, je voudrais parler à la maman de Paul, s'il vous plaît.

— … vous la passe ! maugrée Léna.

Elle lance alors à la cantonade :

— Léna, tu peux venir ? C'est la maman d'Alex.

Stella, qui en a vu d'autres, prend le récepteur, bavarde cinq minutes de la pluie et du beau temps normands, et accorde le sésame maternel. Elle s'est sentie obligée, à charge de revanche, d'inviter Alex quand on va chez ses parents dans le Limousin. C'est pour cette raison qu'il nous accompagne là-bas. Je ne sais pas comment il s'est débrouillé, mais immédiatement, alors que nous étions encore en sixième, il a tapé dans l'œil de Léna, qui l'a eu à la bonne.

Je suis redevable à Alex de plein de choses. D'abord, c'est mon seul copain. Ensuite, il m'a défendu quand Jason Rousseau et ses potes s'en prenaient à moi, il a fait le coup de poing pour m'aider, il en a reçu, il en a donné. Quand Léna voulait *percer l'abcès et savoir qui j'étais vraiment*, il est allé la voir dans son antre et s'est fait tatouer mon prénom sur son bras, on n'en a jamais parlé ouvertement mais ça m'a valu une paix royale, et cela n'a pas de prix. Lorsque, après cet épisode, j'ai fait part à Alex de mon envie de quitter le cocon, de gagner mon indépendance et de trouver un boulot, il en a parlé à son père, qui a sauté sur l'occasion. Il cherchait des intervenants pour des missions en restauration rapide. Mon âge, qui était un handicap, est devenu un point positif. Marc m'a formé et testé sur le terrain, il a trouvé que je me débrouillais bien et m'a engagé dans sa boîte. Le problème, c'est quand il a demandé que ma mère vienne signer le contrat de travail. Léna n'a pas voulu y aller, pas parce qu'elle s'y opposait, mais parce qu'ils étaient persuadés depuis plus de quatre ans que ma mère était Stella – Alex avait gardé le secret –, le changement aurait été impossible à expliquer, alors Léna a demandé à Stella de se dévouer, comme d'habitude. Mais Stella a refusé. Pas parce qu'elle aurait dû faire un faux,

cela elle s'en fichait. Parce qu'elle n'était pas d'accord.

Par principe.

Quand Stella met ses principes en avant, cela veut
dire qu'elle est prête à mourir debout sur la barricade
avec la CGT et les drapeaux, à manifester devant les
CRS, à faire une grève de la faim s'il le faut, et qu'elle
ne changera jamais d'avis. Elle soutenait qu'à seize
ans, il était préférable que je retourne au lycée ou
que j'aille en apprentissage pour me former à un vrai
métier, et pas que je me lance dans un boulot d'ap-
point.

Elles se sont engueulées à cause de moi.

Méchamment.

Léna lui a dit de s'occuper de ses fesses, elle savait
comment elle devait m'éduquer, elle était heureuse et
fière de voir que son fils n'était pas un empoté d'assisté, c'était inespéré de trouver un job à mon âge, j'allais apprendre à me débrouiller dans la vie, c'était ça
l'important. Et puis, au mépris de toute diplomatie de
couple, elle a porté le coup de grâce :

— Dis donc, Trotski, quand tu fais bosser Paul
comme pianiste dans ton bastringue, ça ne te gêne pas
plus que ça ?

— C'est *Le Petit Béret* que tu appelles un bastringue ?

— Tu connais son âge, non ? Et ça ne te dérange pas
de le payer des clopinettes et d'en profiter un max.

— C'est blessant ce que tu dis là, Léna. J'ai engagé
Paul pour lui rendre service, et qu'il acquière une
expérience dont il pourra se servir plus tard. Tu te
révèles et tu es odieuse ! Heureusement que j'étais là,

parce que tu ne t'en es pas beaucoup occupée, de ton fils !

— Quoi !

C'est parti comme une fusée. Le ton est monté très vite des deux côtés, elles ont vidé les paniers et se sont dit des choses horribles, que j'ignorais même, Stella jurant qu'elle n'était pas stupide, qu'elle avait parfaitement compris ce qui s'était passé avec Soisic, que Léna avait hébergée à la maison pendant quinze jours, et Marcella, sa deuxième assistante au *Studio*, qui était partie avec la caisse, et une grande brune niaiseuse dont le prénom lui échappait, avec qui Léna avait passé des heures au téléphone, deux-trois autres encore, et que si elle n'avait rien dit, il fallait pas la prendre pour plus conne qu'elle n'était. Léna, prise au dépourvu par la précision de l'attaque, a soutenu que c'étaient juste des amies, qu'on était en république et qu'on avait encore le droit d'avoir des bonnes copines sans demander l'autorisation. Elles ne se disputaient pas souvent, là ça a dépassé les autres engueulades en intensité. Léna était cramoisie, elle a enlevé son perfecto, peut-être pour régler ça à la loyale, Stella par contre a été plus maîtresse d'elle-même, elle avait conservé en elle l'expérience des combats venimeux de l'époque où elle était représentante du personnel à Air France. J'ai vu le moment où un drame allait se produire. Elles se sont dévisagées longuement, prêtes à mordre, puis Léna a rompu le combat, elle a récupéré son 618 et a claqué la porte. On était sidéré par la violence de l'affrontement ; avec Stella, on se regardait avec inquiétude, nous demandant si les bornes n'avaient pas été franchies et si…

— Putain ! a murmuré Stella.

J'ignore si elle parlait de ma mère ou de la situation dans laquelle elles s'étaient mises avec cette dispute insensée. Peu de temps après, elle est partie sans un mot. Il était l'heure d'aller au *Petit Béret*. J'ai téléphoné pour dire que si elle voulait je n'irais pas bosser ce soir-là, ni les autres soirs si elle le décidait.

— Tu ne vas pas me laisser tomber toi aussi. Grouille-toi de venir, il y a du monde.

Pendant le service, on ne s'est pas adressé la parole, on est rentré ensemble en silence. Il était minuit passé quand on a ouvert la porte. Léna n'était pas là. On s'est couché, on a attendu chacun de son côté, dans le noir, nous demandant si elle allait revenir. Et puis, le sommeil a gagné.

Le lendemain matin, j'ai vu apparaître Stella ; elle avait les traits tirés. Elle a mis un doigt sur sa bouche : il ne fallait pas faire de bruit.

J'ai poussé un ouf de soulagement.

La vie a redémarré comme s'il ne s'était rien passé.

Chacun a fait semblant d'oublier les horreurs qui avaient été proférées ce soir-là. Au bout de quelques jours, on n'y pensait plus. Enfin, moi je n'y pensais plus. Il y avait du plomb dans l'air, il a fallu un bon mois pour que tout redevienne comme avant. Cela ne réglait pas mon problème. Marc demandait quand ma mère passerait signer mon contrat de travail, je racontais qu'elle était partie à l'étranger, revenue, repartie, qu'elle faisait plein de salons partout, qu'elle n'avait pas une minute à elle. J'ai proposé de lui donner le contrat à signer.

— C'est idiot, j'aurais aimé faire sa connaissance.

— Elle aussi. Ce sera pour une autre fois.

J'ai embarqué le contrat de travail. Je connaissais la signature de ma mère, un gribouillis informe, je me suis exercé une dizaine de fois, j'ai signé le contrat à sa place. Marc n'y a vu que du feu. Ni Stella ni Léna n'en ont reparlé. Il a fallu près de six mois pour que Stella se préoccupe de savoir ce que je faisais de mes journées. Ma carrière de client mystère a commencé dans l'indifférence générale. Après tout, n'est-ce pas la base même, le cœur de cette activité : que personne ne s'en rende compte ?

Je me suis demandé si Alex s'était ouvert auprès de ses parents de son inclination à mon égard, et si cela ne m'avait pas valu la bienveillance de son père. Il m'a juré n'avoir rien dit. Il ne s'était rien passé entre nous, et je n'avais pas changé d'avis, de son côté il était discret, mais à la première occasion, si je faisais une réflexion ou regardais une fille dans la rue, il me jetait un regard noir, me rappelait sa passion, et me répétait qu'il attendait que je me décide et que je serais son premier, et le seul amour de sa vie.

*

Je n'ai pas repéré avec précision le moment où nous avons abandonné ce qui faisait l'originalité de notre restaurant pour basculer dans la trivialité, mais rapidement il fut évident que notre monde était en train de disparaître. Ce changement correspond à l'époque où les hamburgers avec des frites épaisses et un nombre considérable de variantes sont apparus sur notre carte comme des plats cuisinés originaux et délicieux.

Apparemment, j'étais le seul à ne pas trouver ça *génial*.

— Hé Paul, faut évoluer, avancer avec son temps, a dit Stella, ou on va couler avant de s'en rendre compte, parce qu'on n'est pas les seules sur le marché, et tu ne peux pas jouer quelque chose de plus gai ?

— Mais c'est Michel Sardou.

Cela a commencé avec les enterrements de vie de jeunes filles (jeunes filles étant une expression toute faite, pas forcément adaptée à l'âge de nos clientes), quand elles se pacsent ou se marient, nous en avons au moins une par semaine, plus à la belle saison. Et comme Stella revendique sa tolérance, qu'elle a le sens des affaires et le quasi-monopole de la clientèle des pilotes, stewards et hôtesses d'Air France, elle accepte aussi les enterrements de vie de garçons, c'est l'occasion de fêtes arrosées, de beuveries polonaises, de clameurs teutonnes, où personne ne compte les bouteilles (sauf Stella), où certaines ont le tort de se prendre pour Rita von Badaboum, d'autres pour des Chippendales, mais en moins vif. Ces prestations nuisent au standing du *Petit Béret*, à son caractère cosy et feutré, par contre, je l'admets, c'est rémunérateur, et apparemment, à l'époque que nous vivons, où le petit commerce est menacé par de redoutables et sadiques concurrents mondialisés – dixit Stella –, il n'y a pas moyen d'y échapper si on veut s'en sortir, et tu vas arrêter de nous les casser avec tes états d'âme et cesser de jouer *Comme d'habitude*.

Ces petites fêtes prénuptiales conservaient un aspect débonnaire, quasi traditionnel, nous n'avions pas encore touché le fond. Je jouais *Strangers in the Night*, un morceau que j'apprécie particulièrement, une composition subtile qui prête à la mélancolie, quand j'ai entendu des bruits de voix masculines nasillardes. Ma première réaction a été de me dire qu'ils exagéraient en cuisine, mais c'était idiot, parce qu'il n'y a que des filles qui bossent ici. J'ai tendu l'oreille et je n'ai plus eu de doutes, quelqu'un dans la salle écoutait la retransmission d'un match de foot sur une radio. Et, je peux le dire, je n'en croyais pas mes oreilles.

« Long, très long dégagement de Mandanda, Lucio à la réception se rate, Brandão résiste au retour de Samuel, et… et… et il marque ! Buuuut ! À la dernière minuuute : c'est phénoménal, monstrueux, gigantesque, historique, c'est colossaaal ! L'arbitre siffle la fin du match ! Ce bourrin de Brandão qualifie l'OM pour les quarts de finale de la Champions League ! Quel coaching de Deschamps ! »

Soudain, il y a eu comme un tsunami, les tables ont tremblé, nous avons été submergés par la liesse et les cris de joie, les filles qui dînaient se sont levées comme une seule femme, se sont embrassées, folles d'enthousiasme. Les bras en l'air, elles se trémoussaient, sautaient en agitant leurs poings. Je me suis arrêté de jouer – à quoi bon continuer ? Une vague d'hystérie collective a envahi la salle, des « On a gagné ! » répétés à l'infini, elles semblaient béates de bonheur, comme si une nouvelle merveilleuse et personnelle venait de leur être annoncée. Stella et les serveuses étreignaient les clientes. J'étais le seul à être atterré. On m'a demandé de jouer *I Will Survive*, j'ai fait l'imbécile, celui qui ne connaissait pas l'air, cela ne les a pas empêchées de l'entonner, ou plutôt de le massacrer.

On a les plaisirs qu'on peut.

La semaine suivante, deux écrans de télévision home cinéma ont été installés, l'un entre les deux fenêtres, derrière moi, à la place du tableau de Hopper, et l'autre en hauteur, sur le panneau à côté du bar. Je n'ai pas saisi immédiatement à quoi ils servaient, d'autant qu'ils sont restés éteints toute la soirée et que personne n'y a prêté attention. Par contre, deux jours plus tard, on a pu assister à la retransmission intégrale des matchs de Champions League. J'ai joué jusqu'à vingt heures cinquante-cinq, Stella a allumé les deux télés, m'a demandé d'arrêter et j'ai été condamné au chômage technique. J'étais persuadé que, dans cette assistance exclusivement féminine, des voix allaient s'élever pour protester contre cette intrusion télévisuelle qui venait polluer le calme du dîner, que certaines manifesteraient leur mécontentement en se levant et en s'en allant. Ce fut tout le contraire. Jamais nous n'avions connu une ambiance aussi joyeuse et festive. On était devenu une salle de spectacles sportifs. Je me demandais ce que je faisais là, je suis sorti fumer une cigarette, car moi je n'aime pas le sport, surtout à la télé, et je déteste le foot.

À la fin du service, je me sentais un peu déprimé, Stella était ravie, elle avait trouvé cette soirée *monstrueuse*; je n'ai pas pu m'empêcher de faire observer qu'on ressemblait à un restaurant de la Foire du Trône.

— Arrête de râler, on a fait trente pour cent en plus ! Ne te plains pas, tu seras payé à ne rien faire. Au fait, si tu ne joues pas, et avec le monde qu'on a, tu ne pourrais pas aider derrière le bar ?

La messe était dite.

Je n'ai pas répondu. Stella n'a pas insisté. Le monde a changé, avant il fallait toute une vie pour remarquer les transformations, maintenant en huit jours c'est plié, je n'ai pas dix-huit ans et je n'ai rien vu venir. Les filles sont dingues de foot aujourd'hui. Elles raffolent aussi du rugby et du volley, elles ne rateraient pour rien au monde le championnat d'Europe d'athlétisme, les Jeux olympiques, le championnat du monde de hand, et j'en oublie. Loin de nous faire perdre de la clientèle, ces deux télés grand format attirent un monde fou, les soirs de match on est archicomplet. Et vers vingt-trois heures, quand la retransmission s'arrête, commence la troisième mi-temps, nos clientes hurlent, boivent au goulot, rient et beuglent comme des rugbymen écossais, assassinent tous les airs, se ruinent en coups et cocktails, et passent une excellente soirée.

Je ne vais pas jouer les rabat-joie, mais deux ou trois soirs par semaine, c'est le bazar. Léna, que l'on ne voyait jamais au resto, vient désormais pour chaque match de basket et pour le football américain. Elle est la seule à en comprendre les règles, elle les explique avec une maîtrise et une affabilité dont je ne l'aurais pas crue capable. J'avais compris qu'elle ne pouvait pas piffer les sportifs, quand je le lui ai rappelé, elle a haussé les épaules.

— Y a que les connes qui changent pas d'avis !

Le pire, ce sont les matchs du PSG. Ces soirs-là, comme par un coup de baguette magique, des mères de famille comme il faut se métamorphosent en louves hurlantes, des commerciales anonymes, des institutrices, des coiffeuses, des éditrices se transforment en supportrices hystériques, le visage peinturluré comme des Sioux, arborant fièrement leur maillot à la gloire des *Emirates*, avec bonnet à pompon et écharpe siglée, chantant en chœur abominablement, sautillant en groupe comme des kangourous déficients, jaugeant, jugeant les équipes, les entraîneurs, les tactiques, et enchaînent sur un autre match.

— Stella, c'est ma tournée !

Stella est ravie. Elle n'a pas tort, dans le commerce il n'y a que le résultat qui compte.

Le soir où le PSG élimina Chelsea fut la nuit la plus longue et la plus folle, celle aussi de sa plus grosse recette. Les prévisions les plus optimistes s'étaient révélées insuffisantes, il n'y avait plus une goutte de champagne, ni de tequila, ni de gin !

— Dommage que ce ne soit pas tous les soirs comme ça, a lancé Stella en faisant la caisse.

— Tu sais, on pourrait faire karaoké, les filles adorent chanter à tue-tête.

Elle n'a pas vu que je me fichais d'elle.

— Tu crois ? C'est pas bête, un ou deux soirs par semaine, quand il n'y a pas match, pourquoi pas ?

J'aurais peut-être mieux fait de la fermer, avec elle on ne sait jamais.

Et puis, un soir de Real de Madrid-Juventus enfiévré, Caroline est apparue.

*

Le Petit Béret affichait l'ambiance des grands soirs, il n'y avait plus une place disponible, Stella refoulait les imprévoyantes qui n'avaient pas réservé et avait ajouté deux tables et des tabourets dans l'entrée, suravitaillé le resto en champagne et alcools divers dont les caisses, derrière le bar, s'empilaient jusqu'au plafond, et engagé deux extras, ça s'affolait en cuisine, les filles se dépêchaient de finir le service avant le début du match. Pour faire de la place, on avait poussé le piano contre le mur, cela avait permis d'ajouter deux guéridons (six couverts en plus). Je pianotais machinalement, personne n'écoutait, j'aurais joué comme Elton John, cela aurait été pareil, je moulinais un bruit de fond, pas désagréable certes, mais imperceptible et totalement inutile.

Je ne sais pas ce qui m'a pris, je me suis mis à chanter, d'abord j'ai chantonné pour moi, sans m'en rendre compte, et puis j'ai chanté vraiment, absorbé par *In the Mood for Love*. C'est une chanson magique, l'une des plus interprétées qui soient, tellement simple qu'elle est intraduisible en français. Il en existe plus de cinq cents versions connues, j'en ai écouté une centaine, il y en a des chatoyantes, des bouleversantes, des fragiles, des ratées. C'est une chanson horriblement difficile à chanter, pour trouver l'équilibre entre le swing de la mélodie et l'émotion des paroles, il faut laisser la voix venir, ne pas la porter, la plupart des femmes sont trop haut ou trop mélo, la plupart des hommes insistent ou la font trop jazzy. C'est parce qu'elle est sublime qu'ils veulent tous s'y coller, au risque de passer à côté. Il y en a une qui atteint la perfection et me file la chair de poule, c'est celle de Bryan Ferry, d'abord parce qu'il ralentit le rythme, sa version fait une bonne minute de plus que la moyenne, il la joue tango avec un accordéon qui s'abandonne, il chante bas, d'une voix un peu fatiguée, comme s'il tenait sa partenaire dans ses bras, et celle-ci répond en français, ces trouvailles donnent une chaleur et une humanité qu'il n'y a pas ailleurs.

Autant dire que j'en suis à des kilomètres.

Ce soir-là, face à ce public tapageur qui attendait son match, j'ai commencé à chanter, m'accompagnant de mon seul piano, laissant ma voix aller comme si j'inventais les paroles, je fermais les yeux, mes doigts roulaient les accords. Quand j'ai ouvert les yeux, elle était accoudée à la caisse, le menton appuyé sur ses poings, elle m'écoutait, me fixait de ses yeux bruns

tout ronds, avec sa coiffure à la Louise Brooks. Et j'ai
chanté pour elle, comme dans la chanson :

I'm in the mood for love
Simply because you're near me
Funny, but when you're near me
I'm in the mood for love

Heaven is in your eyes
Bright as the stars we're under
Oh ! is it any wonder ?
I'm in the mood for love…

C'est Stella qui a brisé le rêve en allumant les télés,
les commentaires des journalistes ont envahi la salle,
une moitié s'est tournée vers la télé du bar, l'autre vers
celle qui trônait au-dessus de ma tête. J'ai souri à mon
unique auditrice, dans le brouhaha elle a applaudi
quatre ou cinq fois, lentement. Je l'ai saluée de la tête,
je me suis levé, elle a rejoint une table où elle s'est
assise avec ses amies.

Je suis sorti du restaurant. Il ne faisait pas très
chaud en ce mois de novembre, j'ai relevé les pans
de mon smoking prune et, adossé au mur, je fumais
une clope, quand je l'ai aperçue qui me rejoignait. Elle
s'est immobilisée en face de moi.

— Ça ne t'intéresse pas ?

— J'ai horreur du foot. Et je suis réduit au chômage.

— Moi ça me rase. Tu as une cigarette ?

J'ai attrapé mon paquet, elle en a pris une, je lui ai
présenté la flamme de mon briquet, et nous sommes

restés côte à côte à fumer, sans rien dire, on entendait les commentaires enfiévrés et les mugissements des spectatrices.

— Tu chantes vraiment bien, tu sais ? J'aime ta voix.

— C'est la première fois que ça m'arrive. Je ne chante jamais d'habitude. Je ne recommencerai pas. Je ne suis pas là pour faire l'artiste, juste l'ambiance, tu comprends ?

— Comment tu t'appelles ?

— Paul.

— Moi, c'est Caroline… Je peux te poser une question ?

— Je t'en prie.

— Tu… tu es une fille ou un garçon ?

— C'est bizarre comme question, ça ne se voit pas ?

— J'ai un doute.

— D'après toi ?

— Mes copines disent que tu es une fille, il y en a une qui dit que non. J'hésite.

— Ce n'est pourtant pas difficile à deviner.

Nous sommes restés face à face dans l'ombre de la nuit, éclairés par la faible lumière qui provenait des vitres du restaurant.

J'ai passé ma main sur son visage, elle m'a souri, je l'ai embrassée.

— Alors ?

— J'ai mon idée. En fait, je n'en sais rien, et je m'en fous. Fille ou garçon, je ne fais pas de différence. Si on se barrait ? J'en ai marre.

On est rentré, elle a récupéré son manteau, j'ai abandonné ma veste de smoking, j'ai pris mon duffle-coat.

Dans l'agitation qui régnait dans la salle, personne n'a remarqué mon départ. C'était purement et simplement un abandon de poste. Je ne me suis pas demandé une seconde comment Stella réagirait. Je m'en fichais. Royalement. Caroline m'a rejoint, on est parti.

Tous les deux.

Je ne sais pas si c'était le froid ou le match, le canal Saint-Martin était désert. Pas une voiture, pas un piéton. Avec les trottoirs humides et l'éclairage jaune, on aurait dit une photo ancienne.

*

On a marché jusqu'à la place des Vosges, dans chaque bistrot il y avait des télés, et on pouvait suivre le match au fur et à mesure de notre progression. Malgré ces écrans, il n'y avait aucune ambiance, les patrons ne savaient pas y faire, les spectateurs avaient l'air de s'ennuyer ensemble. Caroline avait froid, elle a voulu prendre un cappuccino pour se réchauffer, mais elle ne supportait pas de voir ces écrans. On a fini par trouver un troquet sans télé. Caroline me posait plein de questions sur ce que je faisais, elle connaissait une fille qui démarrait dans la chanson avec un style un peu blues, qui voulait créer son répertoire et cherchait une compositrice avec qui mettre ses textes en musique.

— Je déchiffre une partition, c'est tout, j'ai pas fait le conservatoire, ma mère voulait pas, j'ai jamais rien écrit, je suis que pianiste, je fais un peu illusion, je joue de la variété dans ce resto, rien de plus.

— Tu devrais y réfléchir, on peut essayer, tu ne risques rien. Et avec la patronne, tu t'entends bien ? Elle a l'air de tout diriger à la baguette.

— Stella ? Tant que tu demandes pas une augmentation, elle te fiche la paix. Et puis, j'ai droit à un traitement de faveur, c'est ma deuxième maman, la copine de ma mère.

— Elles vivent ensemble ? Depuis longtemps ?

— Depuis toujours ou presque. J'ai peu de souvenirs d'avant. Et toi, tu fais quoi ?

— Je bosse pour un site de voyages en ligne. J'ai beaucoup de travail mais je ne me plains pas. Si on allait en boîte ?

On n'a pas eu à marcher longtemps. Caroline connaissait le chemin. Dans une ruelle du Marais, un petit groupe de femmes fumait sur le trottoir, on s'est arrêté devant une porte éclairée par une lampe vacillante et gardée par une cerbère qui, avec sa carrure de troisième ligne, ressemblait à la petite sœur de Stallone. Elle a fait la bise à Caroline, qui m'a présenté :

— Salut, Virginie, c'est Paul, ma copine.

La sœur de Sylvester m'a dévisagé avec attention, son regard perçant a scruté mon visage, a détaillé mon duffle-coat, mes mocassins vernis, et a fini par me décocher un sourire avenant.

— Bonsoir, Paul, bienvenue au *Dingo*.

Elle m'a serré la main avec fermeté et a ouvert la porte. Nous avons descendu quelques marches et avons débouché dans un ancien théâtre à l'italienne, la porte s'est refermée derrière nous. Le *Dingo* ! J'en avais entendu parler à plusieurs reprises. C'était LA boîte lesbienne de Paris. Celle où il fallait réussir à être admise. On ne comptait plus celles qui s'étaient fait refouler parce que leur tête ne revenait pas au dragon qui protégeait l'entrée. On disait que jamais aucun homme n'avait pu y pénétrer, car Camille, la patronne des lieux, souhaitait conserver à ses locaux un certain niveau de pureté et une absence totale de contamination à la testostérone. Lors de cette visite, j'ignorais encore cette prohibition. Virginie possédait un redoutable sixième sens de physionomiste et avait démasqué un nombre considérable de petits malins qui avaient voulu entrer dans le saint des saints. Aux inconscients qui avaient insisté ou cru pouvoir passer outre, elle avait, à ce qu'on m'avait assuré, écrasé les couilles dans sa pogne de fer.

À celles (et ceux donc) qui n'ont jamais mis les pieds au *Dingo*, je dois apporter cette précision indispensable : il s'agit d'une boîte de nuit à la décoration un peu originale, avec des décors de théâtre suspendus, de fausses colonnes romaines, des toiles de fond d'opérette, des trompe-l'œil, des costumes sur des mannequins, des affiches anciennes avec des vedettes oubliées des années 50 et 60. L'ensemble, plongé dans une semi-obscurité, était éclairé par des variateurs de lumière jaune, rouge ou verte qui projetaient des ombres bizarres et agrandies, des miroirs reflétaient des spots tournants et des lasers colorés ; une énorme cymbale trônait à l'arrière de la scène, où un bar approvisionné d'un mur de bouteilles multicolores avait été aménagé, il y en avait un autre un peu moins fourni, au balcon. Une house assourdissante interdisait toute conversation autre que par onomatopées, une musique banale, binaire et répétitive, avec des synthés mixés au kilo, sur laquelle la foule des danseuses se trémoussait en tous sens.

Jamais je n'avais vu autant de filles réunies dans un même lieu, hormis les 8 mars pour le défilé de la CGT de la Journée des droits des femmes. Mais ici, enfin, elles étaient libérées. Caroline connaissait beaucoup de monde, saluait des amies, en embrassait d'autres, me présentait. On a pris une vodka orange, puis une autre, et une spécialité vert pâle au nom exotique, qui était assez sournoise, la serveuse qui avait préparé ce cocktail m'a dévisagé d'un regard noir. On a dansé au milieu de la foule déchaînée, il régnait une ambiance assez folle, elles avaient l'air de s'amuser, vraiment. Avec Caroline, on faisait les imbéciles, singeant des chorégraphies connues, on s'est perdu de vue, retrouvé, reperdu.

Au cours de cette mémorable soirée, j'ai croisé un nombre incroyable de femmes, qui m'ont regardé attentivement, considéré, soupesé, souri, aucune n'a pensé un quart de seconde que je pouvais ne pas être semblable à elles. Cette idée biscornue ne leur a pas traversé l'esprit, il était acquis que j'étais à ma place ici. J'ai détecté dans le regard de certaines des lueurs de désir, des sourires de connivence, mais je n'étais pas là pour draguer, j'étais là pour danser avec elles, je ne pensais qu'à capter leur rythme effréné, les ondes qu'elles me transmettaient, je bougeais comme elles, j'ondulais enfin comme une femme, c'était le bonheur, le ravissement, j'étais plongé dans mon élément, je côtoyais, je frôlais, je sentais ces corps heureux, épanouis, et leurs parfums mélangés, à en avoir le tournis, j'étais comme une hirondelle écervelée qui virevolte dans les airs et découvre l'art du looping. Et puis, un coup de gong a résonné.

La sono a fait une pause. La piste, qui s'était clairsemée, s'est remplie. Il y a eu un intervalle sans musique, comme s'il fallait laisser un temps aux corps fatigués et en sueur pour reprendre leur souffle, une lumière bleutée nous est tombée dessus, les premières notes d'*Una lacrima sul viso* sont arrivées. Caroline s'est approchée, m'a souri, elle a mis ses bras autour de mon cou, et nous sommes partis dans un slow langoureux, tournant lentement, collés l'une à l'autre au milieu de cent couples qui se déhanchaient, pivotaient, ou restaient immobiles. Elle m'a embrassé. Ou peut-être est-ce moi qui ai fait le premier pas. Le résultat est le même.

Ça roulait à tout-va.

Il faisait une température de serre tropicale. Caroline se laissait aller, la tête posée contre mon épaule. On est passé à *Nights in White Satin*. C'était divin. Je ne me souvenais pas d'avoir jamais connu une pareille sensation de bonheur, j'aurais voulu que ça dure toujours. Et puis Caroline a redressé le visage, m'a fixé de ses yeux écarquillés, la bouche ouverte, la lèvre frémissante, comme si elle n'arrivait pas à formuler quelque chose.

110

— Putain ! Tu bandes ! a-t-elle fini par murmurer à mon oreille.

*

À quoi tient la vie ?

À peu de chose, finalement. À la présence d'esprit de Caroline. Au fait qu'elle a tenu à éviter un scandale, un attroupement qui aurait pu mal se terminer, ou peut-être parce qu'elle connaissait beaucoup de monde dans ce lieu préservé, elle n'a pas voulu être celle qui avait introduit le loup dans la bergerie. Je n'ose imaginer ce qui se serait produit si elle s'était écriée : « Au secours, c'est un mec ! » Un nombre considérable de matrones me seraient tombées dessus, m'auraient réduit en charpie, piétiné, lynché, émasculé – dans quel état pitoyable serais-je sorti ? Et Virginie, la gorgone de l'entrée ? Elle m'aurait crevé les yeux et étranglé sans l'ombre d'une hésitation, avec une incroyable facilité. N'en aurait-elle pas profité pour prolonger mon agonie et me faire payer le crime de l'avoir ridiculisée ? D'avoir déjoué sa perspicacité et causé, qui sait, son licenciement pour faute grave. Ou peut-être ne serait-il rien arrivé de brutal, j'aurais quitté la piste dans un silence de cimetière, sous le regard de pierre, de réprobation et de dégoût qu'on réserve aux Judas et aux traîtres, sur leurs visages je n'aurais lu que le mépris et la pitié, et cette sortie infamante aurait été pire encore. Quand j'y repense, j'ai des frissons dans le dos.

Mais Caroline a posé un doigt sur ses lèvres, m'a pris par la main et, l'air de rien, m'a entraîné hors de la piste, nous avons récupéré nos manteaux au vestiaire, elle a fait la bise à trois copines, et nous avons quitté le *Dingo* comme deux amoureuses qui s'éclipsent de bonne heure.

*

La vérité était plus réjouissante, Caroline était bisexuelle, elle ne voulait pas la mort du pécheur qui pouvait encore servir ; que je sois un homme ou une femme, pour elle cela revenait au même, elle s'en fichait complètement, elle ne s'arrêtait pas à ces détails architecturaux, elle cherchait uniquement à être heureuse. Je crois que c'est elle qui a raison, nous sommes tous bisexuels, que cela nous plaise ou non, nous avons l'équipement, mais pas forcément le mode d'emploi. C'est lui qui nous pose problème, nous ne savons pas le lire, comme s'il était rédigé dans une langue inconnue, et nous mettons une partie de notre vie à le déchiffrer.

Caroline était une personne qui vivait dans l'instant. Elle me disait que, si je voulais, je pouvais rester chez elle. Et le lendemain matin, elle me réveillait et affirmait que ce serait mieux que je rentre chez moi. Elle disparaissait plusieurs jours, ne répondait pas à mes messages. Elle apparaissait épisodiquement, elle débarquait au *Petit Béret* sans prévenir, soir de match ou pas. Je l'apercevais, accoudée au piano. Elle me demandait de jouer *In the Mood for Love*. Je m'exécutais avec plaisir. En la lui chantant, un soir où il pleuvait, j'ai réalisé que le succès de cette chanson était probablement dû au fait qu'elle ne parlait que du hasard de l'amour, de la chance ou de la poisse que nous avons, de cette loterie insensée pour trouver la bonne personne au bon moment.

— Tu viens?

Je la suivais. On ne décidait rien, on était ensemble quand on était ensemble, c'est tout. On a eu tout de suite une liaison particulière. Nous formions un drôle de couple. Et nous avons fait comme tous les couples, je présume. Nous avons pris des habitudes.

Bonnes ou mauvaises, je ne sais pas.

Nous sommes retournés au *Dingo*. Elle ne voulait pas, il n'y avait pas de crainte particulière mais elle n'éprouvait pas le besoin d'y aller avec moi. J'ai insisté, et elle a cédé. Nous avons passé sans problème le barrage Virginie, heureuse de laisser entrer ce petit couple si sympathique. Nous avons retrouvé ses copines, qui sont devenues les miennes, même si nous ne nous sommes jamais dit des choses exceptionnelles, à cause de la musique tonitruante. On a bu des cocktails de toutes les couleurs, des doux et des sévères, aux noms chatoyants, qui vous bouleversaient le cerveau, vous donnaient envie de lever les bras, de baisser la tête et de tournoyer comme un derviche tourneur.

Et des pilules beiges, et des poudres blanches bizarres.

J'ai découvert le bonheur de danser toute la nuit, jusqu'à ne plus savoir dans quel monde j'évoluais, ivre de sons et de palpitations. Et quand on sortait au petit matin, qu'il faisait si froid dans Paris endormi, que les rues blêmes et désertes nous paraissaient belles, je lui laissais une place dans mon duffle-coat, on traînait encore un peu ou on allait dormir quelques heures chez elle. On n'avait même plus la force ou l'envie de faire l'amour, on s'écroulait sur le lit. Elle avait le courage de mettre son réveil pour partir bosser, et plus d'une fois, je me suis réveillé seul chez elle. Me levant juste à temps pour me rendre dans un ou deux McDo.

À partir de ce moment, j'ai commencé à avoir une vie nocturne assez agitée. C'était comme une drogue, j'attendais avec impatience qu'il soit l'heure d'y aller. Je sortais tous les soirs ou presque. Après *Le Petit Béret*, je ne rentrais plus avec Stella. Je ne donnais pas de précisions, elle qui est curieuse comme tout me pressait de questions, elle voulait savoir où j'allais et qui je retrouvais.

— Si je te le dis, tu vas le répéter à Léna, et ça risquerait de ne pas lui plaire.

J'ai pris l'habitude d'aller au *Dingo* sans Caroline les soirs où elle ne pouvait pas, passant sans problème l'obstacle Virginie qui est devenue une copine. Elle m'a raconté sa vie, comment elle avait raté le podium au championnat de France de culturisme, finissant deux fois quatrième, parce qu'elle ne voulait pas se charger de saloperies. Elle n'a pas perdu l'espoir d'y arriver, il faudrait qu'elle trouve un sponsor, mais ce n'est pas facile, et elle n'a pas le temps de s'entraîner. Souvent, je retrouvais Caroline en train de se déhancher au milieu de la piste, on dansait ensemble, ou pas. Je l'ai aperçue aussi en train de flirter avec des copines à elle, elle ne se cachait pas, moi ça ne me gênait pas. Je n'ai pas décrit Caroline : elle a des traits réguliers, des cheveux bruns mi-longs avec une frange, des sourcils marqués ; suivant la lumière, on peut lui donner vingt-cinq ou trente ans ; dans un groupe, au premier abord on ne la remarque pas, mais quand elle danse avec ses copines, on ne voit qu'elle.

Au début, pour les slows, j'ai été prudent, je ne pouvais pas courir le risque de me faire choper, je déclinais les invitations, mais j'ai compris qu'il ne fallait pas jouer les mijaurées et que je devais maîtriser la situation, et je me suis lancé, évitant les corps-à-corps, gardant la distance suffisante où je pouvais contrôler l'incontrôlable. Je me suis fait pas mal draguer aussi. Et, je peux le dire ici, les méthodes d'approche étaient rigoureusement les mêmes que dans une boîte d'hétéros.

De façon consternante.

Du «Vous êtes nouvelle ici ?» à «Je peux vous offrir un verre ?». J'ai toujours éludé, affirmant que j'étais avec des amies, je rejoignais le petit groupe des copines de Caroline, avec qui on rigolait comme des bossues. Je ne venais pas là pour lever une fille, je venais pour être moi-même, pour m'amuser et danser, et, je peux le dire, ce fut une révélation. Dans cette boîte de nuit, je me sentais chez moi, au milieu des miens, ou des miennes.

*

J'étais certain d'avoir atterri au paradis, un endroit où il n'y avait que des femmes et où j'étais le seul homme présent, où on dansait toute la nuit, en buvant des cocktails insensés, et je n'avais pas imaginé ou mesuré le risque de cette situation.

La nuit avait été étrange. Il y avait moins de monde que d'habitude, sans qu'on sache trop pourquoi. J'avais dansé avec Caroline, avec ses copines, et tout seul. Et j'étais allé faire un tour au balcon. De là-haut, on avait une vue plongeante sur la piste de danse. Il y avait des tables basses, des tabourets, la musique arrivait un peu atténuée, c'était le seul endroit où on pouvait parler, à condition de tendre l'oreille.

J'étais accoudé à la balustrade en train de suivre les danseuses qui s'agitaient en dessous quand une femme m'a abordé. Elle avait des traits envoûtants, très fins, des cheveux clairs longs tirés en arrière qui dégageaient un front immense, elle était à la fois svelte et charpentée. Elle avait une façon de vous regarder, par en dessous, en baissant le visage, qui donnait l'impression de recevoir ses confidences quand elle vous parlait de sa voix grave. Elle a tenu à m'offrir un verre, j'ai refusé, elle a insisté, j'ai accepté. On est allé au bar du premier étage. Je ne savais pas trop quoi prendre. Elle a commandé un Black Velvet, je n'en avais jamais bu, j'ai dit : «Pourquoi pas?» J'aurais dû me méfier. C'est redoutable. Le premier passe sans problème, le deuxième aussi.

Après, on décolle.

Sans filet.

Une table s'est libérée. On est allé s'asseoir. Et on a parlé. Jusqu'à l'aube. Il y a des gens avec qui on peut passer des années côte à côte sans avoir rien à se dire, et d'autres avec lesquels une vie ne sera pas suffisante pour tout se raconter. Aline faisait partie de cette dernière catégorie.

C'était une ancienne danseuse professionnelle. Elle avait fait partie du corps de ballet de l'Opéra, avait travaillé à New York et à Berlin, elle avait dû s'arrêter à cause d'un problème au genou. De passage à Paris pour voir sa famille, elle travaillait sur un spectacle à Londres, et m'a proposé de venir le voir. Elle a voulu savoir ce que je faisais, je lui ai parlé de mon boulot au *Petit Béret*. Elle avait entendu parler du resto mais n'avait jamais eu l'occasion d'y aller. Je lui ai donné l'adresse. Elle a promis de venir dès que possible. Je lui ai expliqué que je ne jouais que de la variété, des morceaux connus que j'adaptais à ma façon. Elle m'a demandé quelles étaient mes chansons préférées, nous nous sommes trouvé une passion commune pour Hugues Aufray. Elle avait eu la chance de le croiser et de lui parler. Elle a commencé à chanter *Dès que le printemps revient*. Par chance, c'était une série de slows, elle n'a pas eu besoin de forcer trop la voix pour se faire entendre. Je me suis mis à l'accompagner. Une jeune femme assise à la table voisine s'est jointe à nous, puis une autre à une table derrière. On a formé un chœur improvisé. On a chanté toute la chanson, j'étais le seul à connaître l'intégralité des paroles, elles ont raccroché et m'ont suivi facilement. Pour des débutantes, on était splendides.

J'attends toujours, mais en vain
Une fille en organdi
Dès que le printemps revient

Non, le temps n'y fait rien
Oh non, le temps n'y peut rien…

À la fin, on a eu droit aux applaudissements de l'assistance. On a décliné les demandes pour en chanter une autre. J'ai attaqué un quatrième Black Velvet. On a parlé encore de je ne sais plus quoi. Aline me fixait avec attention, elle avait les yeux plissés, elle disait que je l'intriguais, qu'il y avait quelque chose en moi de mystérieux, d'énigmatique. Je me doutais de ce qui pouvait l'interpeller, je la trouvais magnifique, mais j'avais l'impression d'être sur un tapis volant, ma tête tournait. Elle a souri, a passé sa paume sur ma joue et m'a pris la main.

— Tu es très belle, me dit-elle. Tu as l'air si jeune.

— J'ai dix-huit ans.

— Quelle chance tu as. Profites-en bien… Si tu veux, on peut aller chez moi.

Quelle proposition fabuleuse, j'ai hésité à sauter de joie, ne sachant si je pouvais prendre le risque d'accepter. J'étais emporté dans un tourbillon d'hésitation, changeant d'avis à chaque seconde. Et puis il y a eu une voix intérieure, venant d'on ne sait où, qui m'a dit de ne pas faire le con. Finalement, je me suis entendu répondre d'une voix tremblante :

— Je couche jamais le premier soir.

— C'est de plus en plus rare.

— Je me sens bizarre, je n'ai pas l'habitude de boire autant.

— C'est que je repars demain à Londres.

— Une autre fois, peut-être.

— C'est une belle proposition, crois-moi.

Ah, quelle tentation ! Après tout, qu'est-ce que je risquais ? Le jeu en valait certainement la chandelle. Et puis, qui ne risque rien…

Je me suis levé en titubant. J'ai descendu l'escalier d'un pas mal assuré, m'accrochant à la rampe. En arrivant au vestiaire, j'ai aperçu Caroline et ses copines qui prenaient leurs affaires. Je leur ai présenté Aline. Pendant que cette dernière attendait son manteau, je me suis penché vers Caroline et lui ai chuchoté à l'oreille :

— Je vais aller chez Aline.

— Ne te fais aucune illusion, avec elle tu n'as aucune chance, a murmuré Caroline.

— Tu es sûre ?

— Tu veux te faire fusiller ?

Voilà comment s'est terminée ma nuit avec Aline.

Son regard s'est durci quand je lui ai annoncé que j'allais rentrer chez moi. Elle ne pouvait pas comprendre la raison de mon revirement. Ou peut-être a-t-elle pensé que j'étais avec Caroline et que celle-ci venait de récupérer son bien. Elle a tourné les talons et a disparu.

*

Et puis un jour, le réveil fut infernal, avec la sensation de ne pas avoir fermé l'œil, une léthargie irrésistible m'a envahi, m'empêchant de me lever, me transformant en chose pâteuse et tétanisée, incapable d'émerger du lit avant le milieu de l'après-midi, comme si j'avais été roulé dans une toile d'araignée. Était-ce la répétition de nuits trop courtes, les cocktails enquillés, ou cette poudre blanche que vendait une copine de Caroline – elle ne coûtait pas grand-chose et avait la propriété miraculeuse d'effacer la fatigue et de permettre de continuer à faire la fête jusqu'au matin.

Tout le monde en prenait.

J'avais consommé allègrement ma dose nocturne, mais là je me sentais comme écrasé par un fer à repasser. Heureusement, mon smartphone a grésillé.

— Allô Paul ? Que se passe-t-il ?

— Oh, Marc, je ne me sens pas bien. La grippe, je crois, je suis scotché dans mon lit.

— Tu as appelé le médecin ?

— Je vais attendre un peu. Faut que je me repose, que je récupère, demain ça va redémarrer.

Jusqu'à présent, j'avais un doute sur l'utilité de mon boulot de client mystère, croyant que son seul intérêt résidait dans le maigre salaire que j'arrivais à obtenir à la fin du mois. Je me trompais. Marc était attentionné avec son personnel. Ne voyant pas tomber ses trois rapports quotidiens, il m'avait téléphoné et il avait eu la gentillesse d'accepter mon mensonge bidon.

J'ai fini par poser un pied par terre, j'avais une tête de cadavre, j'étais vert et gris, avec des rides, j'avais la tremblote. Je me suis recouché pendant deux heures, j'ai réussi à me traîner à la salle de bains, j'ai pris une douche froide qui m'a revigoré. J'ai quitté l'appartement de Caroline en fin de journée, je me suis dit que si je n'allais pas au *Petit Béret*, Stella allait poser plein de questions. J'ai débarqué au restaurant. Stella s'agitait derrière le bar, je lui ai fait coucou de la main, avant d'aller me changer. Les serveuses et les filles en cuisine disaient toutes que j'avais mauvaise mine, je répondais que c'était la grippe, certainement. Je me suis installé et j'ai commencé à jouer *Mon vieux*. Stella s'est pointée et m'a dévisagé d'un air furieux.

— Tu es con de venir avec la grippe ! Tu veux contaminer tout le personnel ou quoi ? De toute façon, ce soir, c'est Tournoi des Six Nations, on n'a pas besoin de toi.

Sur le chemin de la maison, j'ai entendu un bruit caractéristique. J'ai su que c'était elle avant de l'apercevoir. Sa Majesté arrivait sur sa Harley, chopper relevé, précédant deux copines sur leurs pétoires. Je lui ai fait un signe de la main, mais elle ne m'a pas remarqué. Elles m'ont dépassé et ont tourné vers le canal.

On ne se voyait plus beaucoup.

*

Je suis resté plusieurs nuits sans sortir. Dans la journée j'assurais le minimum syndical vis-à-vis de Marc, le soir je pianotais, et je rentrais avec Stella. Et puis Caroline est venue prendre de mes nouvelles, elle aussi s'inquiétait. Et on y est retourné. J'ai refusé la poudre blanche miraculeuse de sa copine, et une saine fatigue est revenue. Elle m'a rapporté qu'Aline m'avait demandé, elle voulait mon numéro de téléphone et posait des questions à mon sujet. Je risquais de tomber sur elle, mais, d'après Caroline, je ne devais pas me faire d'illusions, mon petit jeu n'avait aucune chance de l'intéresser. On a dansé ensemble longtemps, elle s'amusait à me provoquer, me frôlait, m'embrassait, et puis elle s'est immobilisée.

— J'ai ce qu'il te faut, a-t-elle murmuré.

Elle m'a pris la main et m'a entraîné au milieu de la foule des danseuses, nous avons continué à danser près de décors en trompe-l'œil d'un château XVIIIe. Et soudain, elle a reculé et a heurté une jeune femme derrière elle. Elle s'est retournée, elles ont paru surprises, autant l'une que l'autre. Caroline venait de retrouver Mélanie, une ancienne copine, cela faisait longtemps qu'elles ne s'étaient pas revues. Caroline m'a présenté. Elles sont montées au balcon pour être plus tranquilles, je les ai suivies. Nous nous sommes précipités sur une table qui se libérait, j'ai offert une tournée de Black Velvet. Mélanie avait fait une maîtrise de psycho, elle était partie à Lyon pour un remplacement d'un congé maternité qui s'était éternisé, était rentrée pour terminer sa thèse et cherchait du boulot. Elles se ressemblaient un peu toutes les deux, même taille, même allure passe-partout, sauf que Mélanie avait une frange qui lui tombait sur les pommettes, et je me demandais comment elle faisait pour ne pas se cogner ; quand elle mettait une barrette, on voyait ses yeux verts.

Très clairs, les yeux verts.

Il lui arrivait de partir d'un rire nerveux sans qu'on comprenne ce qu'il y avait de drôle. Caroline a mâché le travail, assurant que j'étais une pianiste exceptionnelle, qui connaissait par cœur le répertoire de Michel Polnareff.

— J'adoooore Polnareff! s'est exclamée Mélanie.

Accompagnée par sa mère, une groupie de toujours, elle l'avait vu trois jours de suite à Bercy lors de la tournée de 2007. Elles avaient fait la queue pendant des heures pour l'apercevoir de près, mais il était difficile à approcher. À force de persévérance, à Châlons, Mélanie avait réussi à se faire dédicacer un album et un tee-shirt. Et elle avait pu lui toucher le bras. Le concert donné au Champ-de-Mars restait le plus beau souvenir de sa vie; quand elle en parlait, ses yeux verts s'allumaient, sa voix tremblait, elle agitait les mains et elle riait.

— Et *La fille qui rêve de moi*, tu connais? Et *Le temps a laissé son manteau*? Ce ne sont pas les plus connues, mais je les écoute en permanence.

Je n'en avais aucune idée, je n'avais jamais joué aucune des œuvres de Polnareff, mais après la présentation de Caroline, je n'ai pas voulu la décevoir.

— Oui, toutes ses chansons sont superbes.

Elle a rectifié :

— Non, pas toutes. La plupart. Il est génial, ce type, non?

Sans Caroline, je n'aurais pas connu Mélanie, cela aurait été dommage. Et sans Mélanie, je serais passé à côté de Polnareff, cela aurait été une aberration. Je tiens enfin à remercier Michel Polnareff, car, grâce à lui, je suis devenu proche de Mélanie. Elle a promis de venir m'écouter au *Petit Béret*, et nous avons échangé nos 06.

Le lendemain, je suis passé chez Beuscher, j'ai raflé ce qu'ils avaient comme partitions et je m'y suis attaqué. Le terme n'est pas trop fort, j'ai eu du mal à les déchiffrer et à rendre les lignes harmoniques, tellement les musiques sont élaborées, avec des équilibres diatoniques subtils, comme dans la meilleure production anglo-saxonne, et quasiment sans équivalent dans notre pays. Elles sont construites comme de courtes symphonies, et sans les arrangements riches et raffinés, ces compositions pourraient être au programme de n'importe quel orchestre classique. Finalement, le boulot consiste à simplifier, et à trouver les bons accords.

J'avais bien fait de travailler mon sujet car le samedi soir, Mélanie est venue dîner avec deux copines, mais elle n'avait pas réservé, on était complet. Je suis intervenu, plaidant leur cause, les présentant comme de vieilles amies qui découvraient le restaurant. Ce fut inutile, Stella a été obligée de les refouler, il y avait une heure d'attente, elles ont préféré aller ailleurs. Elles ont pris un verre au bar, je me suis lancé dans *Love Me, Please Love Me*. Mélanie m'a rejoint, a posé sa main sur le piano, m'a écouté religieusement. Je sentais qu'elle appréciait, surtout dans ma version épurée et revisitée, avec quelques fanfreluches cependant. J'ai enchaîné avec *Âme câline*, j'en ai rajouté un peu, dans la dentelle comme toujours et, Polna me pardonnera, ça a marché. Sa copine est venue lui dire qu'elles étaient prêtes à partir, mais Mélanie n'était plus décidée à les suivre.

— Encore un moment, a-t-elle demandé.

Je me suis lancé dans *Le Bal des Laze*, au début cela s'est bien passé, il y a eu un instant de grâce dans le restaurant, un silence comme il y en a rarement, elles ont toutes levé la tête, arrêté de manger et écouté, mais je n'avais pas suffisamment travaillé le morceau, je me suis emmêlé les pinceaux. C'est une composition horriblement difficile à interpréter, j'avais sous-estimé les obstacles, c'est parti en quenouille, je me suis arrêté.

— Je suis désolé. J'y arrive pas ce soir. Je suis un peu troublé.

— Oui, je comprends.

— Une prochaine fois peut-être.

— Si tu veux, on se retrouve au *Dingo*.

*

Le soir où Caroline me l'avait présentée, elle m'avait raconté que Mélanie avait été longtemps fiancée à un type assez sympa qui faisait des études de psycho avec elle, puis ils avaient rompu sans qu'elle en connaisse la raison. Elles s'étaient connues grâce à une amie commune avec qui Mélanie était sortie un moment. Avant son départ à Lyon, Caroline avait croisé Mélanie dans un restaurant où elle dînait avec un jeune homme qui avait la main posée sur son épaule. Caroline en avait déduit qu'elle était bi, mais c'était il y a plus d'un an, je devais avancer avec prudence.

Au *Dingo*, j'ai cherché Mélanie dans la foule, sans la trouver, je pensais qu'elle avait changé d'avis, quand je l'ai aperçue à l'étage en train de discuter avec des amies. Peu après mon arrivée, ces dernières sont allées danser, nous sommes restés en tête à tête. Elle m'a parlé longuement des deux copines avec lesquelles elle était allée dîner, puis de celles qu'elle avait croisées ici et qui la faisaient beaucoup rire, me donnant une foule de précisions comme si je les avais toujours connues et que j'étais avide de savoir ce qu'elles étaient devenues. Elle m'a aussi parlé de ses études de psychologie et de ses années d'analyse. Je n'y connaissais pas grand-chose mais j'ai trouvé ses idées un peu bizarres, et originales. Elle faisait partie d'un groupe d'étudiantes qui voulaient dynamiter la psychanalyse, tuer Freud, massacrer Lacan, et détruire les écoles en place. Je l'écoutais comme si j'étais intéressé, alors que je saisissais à peine la moitié de son propos, l'autre étant couverte par la musique. Une des filles nous a rejoints, Mélanie a fait les présentations :

— Tu sais, c'est la pianiste dont je t'ai parlé.

J'ai eu droit à des félicitations pour mes interprétations polnaréviennes, et à une promesse de venir m'écouter dès que possible.

— Vaut mieux réserver, surtout les soirs de match.

— Oh, formidable, on viendra à coup sûr pour la demi-finale.

La copine a disparu. J'ai proposé à Mélanie un Pina Royal et suis allé en chercher deux au bar. Quand je lui ai tendu le sien, elle a pris ma main et l'a examinée avec attention.

— J'adore tes mains, qu'est-ce que j'aimerais en avoir d'aussi fines et blanches, les miennes sont horribles.

Je lui ai pris la sienne, je l'ai tournée dans un sens, dans l'autre. Je l'ai gardée un moment.

— Je ne trouve pas, elles sont très jolies.

— Elles sont potelées, c'est moche.

— Tu es psychologue, pas pianiste, la nature n'est pas si mal faite que ça.

Mélanie a retenu un rire nerveux et a approuvé de la tête.

— Oui, je comprends.

Elle a retiré sa main, a regardé sa montre, s'est penchée à mon oreille. Sa frange était fascinante.

— Si tu veux, on peut aller chez moi.

Ce n'était pas l'envie qui me manquait, mais je ne pouvais pas prendre le moindre risque.

— Tu sais, je ne voudrais pas que tu croies que je suis quelqu'un de facile.

— Ce n'est pas ce que je voulais dire.

— J'ai eu quelques problèmes, des incompréhensions, rien de grave. J'ai besoin de mieux te connaître avant.

— Je comprends.

Mélanie comprenait.

Tout le temps.

C'était son métier.

Je n'ai pas été obligé d'insister pour qu'elle me raconte une partie de sa vie, sa relation orageuse et sa rupture avec Thomas, qui avait des idées, comment dire, incompatibles avec ce qu'on peut attendre d'un psy. En réalité il était psychorigide et n'avait pas apprécié une brève aventure avec une copine, ce qui démontrait son étroitesse d'esprit, pas plus que sa liaison intermittente avec une orthophoniste lyonnaise, une fille formidable, qui s'était interrompue parce qu'elle était remontée à Paris pour soutenir sa thèse, mais ce n'était pas impossible qu'elle retourne à Lyon un de ces jours.

— Et tu as des rapports avec des hommes aussi ?

— Depuis ma séparation d'avec Thomas, je n'ai connu que des femmes, mais je ne m'interdis rien, je ne fais pas de projets, je vis dans le présent. Et toi ?

— Oh, moi, je n'aime que les femmes, c'est mon problème.

Il y a un moment crucial dans l'aventure de la vie, celui où l'oisillon s'élance hors du nid ou saute de la falaise. Jusqu'alors, il était assez protégé, mais à un moment, pour se nourrir, survivre, suivre les autres, il doit se jeter dans le vide et battre des ailes, sans savoir s'il saura voler ou s'il s'écrasera, s'il réussira à accomplir son destin de volatile ou s'il échouera sur le sol ou dans la mer et sera dévoré par le premier prédateur venu. Personne ne peut le savoir avant, il doit prendre le risque. Dans certaines espèces, la moitié des oisillons disparaissent parce qu'ils n'y arrivent pas du premier coup. J'étais à peu près dans cette situation. Sauf qu'en cas de catastrophe, je ne risquais pas de mourir. Probablement.

— Bon, ben allons-y.

*

Mélanie habitait dans un immeuble ancien, un peu délabré, des Halles, un studio mansardé au dernier étage sans ascenseur, avec des poutres apparentes, encombré de livres empilés jusqu'au plafond, avec une minuscule cuisine et une jolie salle de bains. Quand on se penchait par la fenêtre, on apercevait le clocher de Saint-Eustache posé sur les toits. Elle m'a demandé si je voulais boire quelque chose, elle est passée dans la salle de bains, j'ai entendu le bruit de la douche, elle est revenue dix minutes plus tard, le corps enveloppé dans une serviette de bain bleue. Elle était encore mouillée, et tout simplement divine. Je me suis retenu de lui sauter dessus immédiatement. Je suis passé sous la douche à mon tour, j'ai entendu la voix de Polnareff qui montait de la pièce, une chanson lente inconnue, mais je ne connaissais pas tout son répertoire. Je me suis couvert d'une serviette jaune, et je l'ai rejointe. On s'est mis à danser sur ce slow, collés l'un à l'autre, on s'est embrassé avec fougue, sa serviette est tombée, elle avait une peau incroyablement douce qui sentait la rose, des fesses molles et délicieuses, encore un peu humides. J'ai senti qu'elle tirait sur ma serviette. Celle-ci s'est dénouée. Je l'ai prise dans mes bras, je l'ai serrée contre moi. Nous avons fait quelques tours.

Et j'ai sauté dans le vide en battant des ailes.

Jusqu'ici tout va bien.

Mélanie a fixé ma poitrine plate, elle n'a pas eu l'air de percuter. Elle a relevé sa frange avec sa main, son regard est descendu le long de mon corps, elle a aperçu ce qu'il y avait entre mes jambes. Elle m'a dévisagé, se contractant légèrement, sa bouche s'est ouverte, un son indéterminé est resté en suspension pendant quelques secondes sur le bord de ses lèvres, et a réussi à s'extraire, se transformant lentement de rire saccadé en cri primal :

— Ahhhhhhhh !

— Attends, je vais t'expliquer.

*

J'aurais pu trouver une réplique plus fute-fute, car cette proposition de clarification n'a provoqué chez elle qu'effroi et tremblements, mais je peux vous assurer que dans ces moments-là, on ne réfléchit pas trop, c'est la première phrase qui me soit venue. Elle a reculé, s'est saisie de ma serviette jaune et l'a tenue serrée contre elle comme un bouclier protecteur. Face à elle dans le plus simple appareil, j'ai eu le plus grand mal à en placer une, tellement Mélanie était tourneboulée par la vue de ce qui n'était que mon zizi, et je pense que la plupart des lectrices averties l'auront compris (encore que, je tiens à le préciser : ce n'était pas la taille de mon pénis qui méritait pareille stupeur).

En quelques secondes, son regard était passé de la suavité à l'hostilité.

— Rhabille-toi ! a-t-elle lancé avec animosité.

J'ai récupéré la serviette à terre, mais je n'ai pas réussi à la nouer, je la plaquais contre moi, j'ai fait un pas vers elle, la main tendue.

— N'approche pas ! a-t-elle crié.

J'ai attrapé ma chemise en soie noire et l'ai enfilée.

— Tu ne crois pas que tu me dois une explication ? a-t-elle lancé.

130

Je me suis assis comme une masse sur le tabouret de la cuisine, elle est restée debout. J'ai dû faire un effort pour rassembler mes idées.

— Comment expliquer ? C'est compliqué, et mystérieux. Moi-même, je ne comprends pas tout. Il faut remonter loin probablement, des choses confuses et refoulées, dans l'enfance, c'est plus fort que moi, une pulsion, ce n'est pas un jeu, non, pas du tout, je suis comme ça depuis toujours, c'est au fond de moi-même, tout au fond, dans mon inconscient.

— Oui, je comprends.

Mélanie s'assit délicatement sur le bord de son lit. Son regard n'affichait plus d'agressivité. J'ai eu l'impression fugitive d'avoir déjà vu ce regard avant.

— Je ne suis pas un homme comme les autres.

— Je comprends… Tu es transgenre ?

Jamais cette idée saugrenue ne me serait venue à l'esprit. J'allais répondre que non, pas du tout, mais j'étais dans une situation délicate. Je voyais le sol se rapprocher à toute vitesse, j'allais m'écraser. J'ai saisi cette suggestion au vol comme une perche tendue in extremis pour que l'oisillon en perdition se pose dessus.

J'ai fait oui de la tête.

*

Certaines vont penser que je suis un faux-cul, ce serait une grave erreur de jugement métaphorique, il faut me prendre comme je suis, et ne pas vouloir que je sois à votre image, je ne fais que me défendre et m'adapter à un environnement hostile. Je n'ai pas l'intention de me couler dans le moule pour vous faire plaisir. Tant pis pour vous si vous êtes coincées ou prêchi-prêcha. C'est votre affaire, pas la mienne. Ce sont les autres qui ont des problèmes avec la vérité. Mais quels problèmes : les leurs, ou les miens ? C'est quoi, avoir une libido normale ? C'est une notion fluctuante, en général elle dépend de celui qui pose la question.

Celui qui répond perd toujours.

Mélanie avait posé une question qui pouvait la rassurer. Uniquement. Qui cadrait à peu près avec ce qu'elle savait de moi, et avec la situation grotesque dans laquelle nous nous trouvions tous les deux. Combien de jours et de nuits de paroles ininterrompues auraient été nécessaires pour que je puisse m'approcher un tant soit peu de la réalité de ce que je vis, et le lui faire percevoir, et même si j'avais disposé de tout ce temps, si j'avais eu de sa part une oreille neutre et attentive, je n'aurais pas trouvé les mots pour partager avec elle mes sensations, car il y a toujours des doubles sens, des raccourcis, des imprécisions, des non-dits. Et surtout mon incapacité à trouver les termes utiles et efficaces. Je n'avais aucune chance d'y arriver. Et c'est parce que je savais à l'avance que c'était mission impossible que j'ai biaisé, que j'ai accepté cette proposition trompeuse qui la rassurait, et m'offrait un répit. J'avais répondu de façon spontanée, sans établir de lien entre la question et la personne qui la posait. Mélanie n'avait pas fait des études de psychologie pour rien. Tout d'un coup, je n'étais plus un sale con qui avait essayé de la duper, mais un sujet d'étude.

— Et tu suis un traitement ?

Pour me poser cette question, elle avait pris une voix suave. J'ai réalisé que je ne serais pas fusillé, que j'avais au contraire droit à un sursis, c'est-à-dire que je pourrais continuer à vivre comme avant.

— Il y a quelques années, j'ai vu une psy. J'en ai même vu plusieurs. Mais ça n'a pas servi à grand-chose.

— Cela ne m'étonne pas. Elles n'y connaissent rien.

Mélanie était devenue bienveillante. Je retrouvais ce sourire angélique, cette douceur onctueuse qu'ont les psys quand elles vous posent leurs questions foireuses.

— Et tu vas te faire opérer ?

— Heu… non. Pas pour l'instant. Je ne suis pas prêt. Je suis trop jeune encore.

— Je comprends.

Voilà comment a débuté mon histoire avec Mélanie.

Sur ce léger malentendu.

Si j'avais eu du courage, je lui aurais dit la vérité, ce que je pensais vraiment, mais à ce moment-là elle n'était pas prête à l'entendre, et si je l'avais fait, elle m'aurait mis à la porte en hurlant, et tout se serait arrêté entre nous.

En vérité, je n'avais envie que d'une chose : la sauter.

Tout son être, du sommet de son crâne encore mouillé à l'extrémité de ses doigts de pieds, qui sont ravissants, était une invitation à l'extase. Le peu que j'en avais vu et touché m'avait fait pressentir la promesse d'une nuit divine. Ses fesses, surtout. Je ne sais pas si je vous ai dit qu'elles étaient un peu rondes, pas trop, comme il faut. J'étais persuadé que les choses finiraient par s'arranger.

Manque de chance, Mélanie avait évolué. Si elle avait été bisexuelle, elle ne l'était plus. En tout cas, pas avec moi. À présent, elle n'aurait jamais supporté un homme dans son intimité. Par contre, un transgenre qui suivait un traitement, même léger, et qui envisageait une opération, à long terme, méritait sa sympathie et sa considération. Elle me supportait parce que j'étais en instance de déménagement sexuel, et qu'elle souhaitait m'accompagner dans cette démarche.

— Si tu veux, je peux t'aider, Paul.

Elle a dû lire l'incompréhension dans mon regard.

— En ce moment, tu es perdu, tu tournes en rond, tu te poses des questions, tu dois affronter de vieux problèmes et trouver des solutions pour le futur, tu dois mettre de l'ordre dans ta tête. Ce n'est pas une démarche insignifiante que l'on peut accomplir seul. J'ai un peu d'expérience, je suis prête à t'aider. Amicalement, cela va sans dire.

— Tu vois ça comment ?

— On se retrouve de temps en temps, quand tu veux, et on parle. Je pose des questions quand ça coince. J'ai quelques idées originales pour faire avancer le champ de l'analyse, la dépoussiérer, l'adapter à notre époque. On peut essayer. Mais je te préviens, c'est toi qui suis la thérapie.

— Je ne suis pas malade, tu sais.

— Tu dois avancer, Paul. C'est à toi de décider dans quelle direction. Il n'y a aucune obligation. On continue et on arrête quand on veut.

— Cela restera entre nous ?

— Bien sûr, je suis tenue au secret professionnel.

S'il y avait le secret, et qui plus est professionnel, j'étais rassuré. Je me disais qu'avec le temps, je finirais par trouver la faille dans la carapace. Il devait bien y en avoir une. Elle serait autant mon sujet d'étude que j'allais être le sien. À force d'être ensemble, cela nous rapprocherait. J'ignorais que je venais de mettre le doigt dans un engrenage quasi infernal et que j'allais être la victime de mon propre piège.

— Et on commence quand ?

Elle m'a répondu :

— Tout de suite, si tu veux.

Et j'ai dit :

— Pourquoi pas.

Mélanie sera une grande psy, elle a un don pour vous faire parler, une façon de vous regarder avec un sourire affable, de hocher la tête sans jamais vous juger, et de vous encourager à continuer, comme si vous disiez des choses originales et passionnantes. Elle pourrait sacrément réussir à la télé ou dans la police. Elle a une manière de dire : « Je comprends » qui me transperce. Avec elle, j'ai découvert que j'aimais parler de moi ; avant nos séances, je n'étais pas mal, mais après j'allais mieux.

Quand je relis le récit de cet épisode avec Mélanie, j'ai l'impression d'avoir raconté une scène de comédie de boulevard, je suis sûr qu'il y a des imbéciles qui ont souri, pourtant ce n'est pas drôle, c'est pathétique. Il ne fallait pas rire. Pas ici. Je relis parce que je note tout maintenant. C'est elle qui me l'a suggéré dès notre première séance. Cette histoire, si vous la lisez depuis le début, c'est à elle que vous le devez, c'est son idée. C'est mon autobiographie. Au début, j'ai refusé, je ne voulais pas en entendre parler, déjà il y aurait nos discussions, je ne voyais pas l'utilité d'en rajouter une couche. Elle m'a expliqué qu'une fois que j'en aurais terminé, je serais mentalement prêt pour l'opération. Je ne pouvais pas lui dire à quel point je n'étais pas d'accord avec cette idée. On a continué à discuter, j'étais buté et hostile, elle m'a dit que cela m'aiderait à débroussailler, à trouver des ouvertures, à déterminer ce qui était important et ce qui l'était moins, et puis elle a trouvé l'argument qui m'a convaincu :

— C'est toi qui décideras si tu veux progresser ou stagner. Qu'as-tu fait comme langues étrangères au lycée ?

— Anglais, mais je parle moyen. Et espagnol, un peu.

— Les Allemands ont un mot que j'aime beaucoup pour parler de l'éducation, *Kinderstube*, littéralement : « la chambre d'enfant ». Ils disent que quelqu'un a – ou n'a pas – la *Kinderstube*. C'est un mot féminin. En fait, c'est le premier environnement de l'enfant qui s'imprime en lui, pas à pas. Qui déterminera qui il est. Cela fabrique son naturel, et en grande partie celui qui revient au galop, plus tard. C'est pour cela que si tu te décides, il faudra que tu remontes le plus loin possible.

*

On a parlé jusqu'au petit matin.

Enfin, j'ai parlé, elle a écouté.

Elle ponctuait de «Je comprends», qui étaient comme des miettes de pain qui me permettaient d'avancer. Et puis, elle n'a plus rien dit. J'ai attendu un moment, elle devait réfléchir, je l'ai regardée de près, sa frange dissimulait ses yeux fermés, elle s'était endormie. Je me suis couché près d'elle, j'ai pensé que j'avais eu de la chance de tomber sur une fille aussi disponible et serviable. Ce n'est pas tous les jours qu'on rencontre une personne désintéressée, qui veut vous aider. À un moment, elle s'est blottie contre moi. Elle avait froid.

Je l'ai prise dans mes bras, nous avons dormi côte à côte.

Le matin, je lui ai dit que j'étais d'accord, que j'allais entreprendre le récit de ma vie. Que je ne savais pas trop par où commencer, ni comment tout raconter, qu'il y avait plein de choses que j'avais oubliées, ou que j'ignorais. Elle m'a dit que cela n'avait aucune importance parce que personne ne le lirait. Même pas elle. Elle est descendue chercher des croissants, et j'ai attrapé une feuille de papier. J'ai écrit une vingtaine de lignes assez facilement. À son retour, elle a préparé le petit déjeuner. En attendant que le café passe, elle a jeté un coup d'œil sur mon texte. Elle a dit que ce n'était pas mal, mais qu'à «Je me rapele», il y avait deux *p* et deux *l*.

*

Fin mars, on a fêté le mariage de Barbara et de Gaëlle. Cela faisait des années qu'elles en parlaient ; avant même le vote de la loi, elles avaient caressé le projet d'être les premières à se marier. Quand Gaëlle avait annoncé la nouvelle à ses parents, son père avait fait une crise cardiaque, et elles avaient raté l'occasion d'entrer dans l'Histoire. Puis il lui avait fallu négocier avec sa famille, et au moment où tout était calé, il avait fait un autre infarctus, cette fois à cause de son poids, et il avait fallu ajourner une deuxième fois. Ensuite, Gaëlle ne voulut plus en entendre parler, affirmant qu'il valait mieux ne pas provoquer le diable, craignant que le troisième essai n'enterre son père, à qui elle était très attachée. Entre nous, c'était devenu un serpent de mer. Mais en prenant sa retraite, le paternel s'était mis à la natation, une heure par jour, et à la marche nordique, il avait maigri, et elle s'était lancée. Jusqu'au dernier moment, on avait redouté une mauvaise nouvelle.

Barbara était toujours hôtesse de l'air, et la plus vieille amie de Stella, elles avaient vécu ensemble à une époque, je la connaissais bien pour avoir manifesté un nombre considérable de fois sur ses épaules ou en lui tenant la main. Elle avait demandé à Stella d'être son témoin, et cette dernière avait accepté sur-le-champ. Barbara était raide dingue de Gaëlle, qui avait onze ans de moins qu'elle et travaillait à Roissy, à la police de l'air et des frontières. Très vite, Gaëlle était devenue copine avec Léna, pas parce qu'elle était flic, mais parce qu'elles partageaient la passion des Harley. Elle s'était offert un magnifique bobber Dyna Street allégé, avec un guidon Ape, qu'elle échangeait de temps en temps contre la Twin Cam de Léna, qui trouvait que sa caisse manquait un peu de nervosité et se demandait si elle n'allait pas s'en payer une aussi. Quand elles étaient ensemble, elles devenaient fatigantes, à force de parler de Harley, de châssis, moteur et transmission. Léna l'avait décorée d'une douzaine de tatouages tribaux dans le dos et sur les cuisses. Gaëlle lui avait demandé d'être son témoin mais elle avait refusé. Elle n'avait pas donné d'explication, sauf que ça lui cassait les couilles, et qu'il n'y avait rien de plus débile que deux connasses qui se prenaient pour des dindes.

Faut savoir qui on est, non ?

Après un subtil travail de sape de Stella, elle avait changé d'avis en apprenant que Gaëlle avait décidé d'organiser une parade de Harley pour les accompagner à la mairie du Ve arrondissement. Léna avait accepté d'en prendre la tête. Elles avaient battu le rappel de leurs copines, et des copines de leurs copines – celles qui étaient motorisées en Harley s'entend, les autres ayant peu d'intérêt.

Le samedi fatidique, elles s'étaient retrouvées porte d'Italie. Elles étaient soixante-deux. Certaines étaient venues de Bretagne, de Montauban, et même de Belgique, uniquement pour le plaisir de défiler ensemble. La plupart ne connaissaient ni Barbara ni Gaëlle. Elles avaient astiqué leurs machines qui resplendissaient comme si elles étaient sorties de l'usine le matin même. Elles portaient leurs tenues cuir et avaient laissé les casques au vestiaire. Elles sont parties de la porte d'Italie à dix heures trente précises. Sur la file de gauche avançait Léna, chopper levé, avec Gaëlle tout de blanc vêtue à l'arrière ; Judith, l'assistante de Léna, roulait de front sur la file de droite avec Barbara derrière elle. Elles étaient suivies d'un cortège de soixante Harley roulant sur deux files à une vitesse de sénatrice. Stella, postée sur la plate-forme d'un pick-up, ouvrait la voie et filmait l'équipée sauvage. Elles ont pris l'avenue d'Italie, descendu l'avenue des Gobelins, remonté la rue Claude-Bernard et la rue Gay-Lussac. Le cortège nuptial faisait un barouf d'enfer. Comme si des dizaines de tambours métalliques battaient la cadence en même temps (entre puristes, elles préféraient évoquer le doux murmure des sabots de chevaux sur les pavés parisiens). Les piétons regardaient la horde infernale des amazones qui ne s'arrêtaient pas aux feux rouges et faisaient des doigts d'honneur aux automobilistes furieux. Certains ont dû croire qu'on tournait un film, publicitaire probablement. Les promises saluaient de la main les spectateurs qui s'agglutinaient au passage de la parade. Certaines motardes trouvaient que ça n'allait pas assez vite, vissaient les poignées, s'amusaient à zigzaguer ou à faire brûler le pneu arrière, bécane à l'arrêt. En bas de la rue Soufflot, Léna a levé la main ; la caravane s'est immobilisée, laissant le temps aux retardataires de recoller au peloton. Puis, la troupe est arrivée au

Panthéon, garant les motos en rang d'oignons sur la place.

Sur les marches de la mairie, les familles et les invités attendaient patiemment. La cohorte des motardes a rejoint la grande salle des mariages, qui était archicomble et agitée. Le père de Gaëlle a tenu à accomplir les derniers mètres au bras de sa fille, il avait fière allure, on avait tous une petite appréhension, mais son cœur a résisté. Il a fait son entrée d'un air satisfait, tête haute comme un lord anglais, il a conduit sa fille vers Barbara, et s'est assis près de sa femme au premier rang. Le mariage s'est parfaitement déroulé, elles ont dit oui toutes les deux avec beaucoup de conviction, les témoines ont signé, les flashs ont crépité, l'auditoire a applaudi.

Pour remercier les participantes d'être venues de si loin, les mariées avaient prévu un apéritif dans le hall d'entrée de la mairie. Léna discutait de bras oscillant et de débattement avec deux motardes de Dijon qu'elle n'avait pas vues depuis longtemps, quand Stella l'a rejointe avec une bouteille de champagne. Elles ont levé leurs verres à la santé des mariées.

— Les prochaines, ce sera peut-être nous ? a lancé Stella.

— Ça va pas ? a répondu Léna.

— Ce serait un accomplissement, non ?

— Pourquoi changer quelque chose qui fonctionne bien ? Que gagnerait-on à se marier ?

— Moi, j'en ai envie, a insisté Stella.

— Ah oui, on serait plus heureuses ? Je ne crois pas. C'est mieux de rester comme on est.

— C'est toujours toi qui décides, alors ? C'est une si belle chose qu'on peut faire ensemble.

— C'est Fort Alamo ici, je me sens cernée.

— Ce que je ressens, tu t'en fous complètement.

— Hé mémé, on est venu là pour faire la fête, pas pour râler.

— Pourtant, ce serait le moment pour nous…

Stella n'a pas fini sa phrase.

Léna s'était cassée.

Sans dire au revoir à personne.

Elle a fendu la foule qui bavardait dans le hall. Elle a quitté la mairie. Je l'ai vue qui récupérait sa moto sur la place et qui s'en allait par la rue Souf-flot. Le soir, on l'a attendue, elle n'est pas venue à la fête au *Petit Béret*. On lui a téléphoné, elle était sur répondeur, on a laissé des messages. Avec Judith, on a fait un saut jusqu'au *Studio*, il était fermé. Le dimanche, elle n'est pas apparue. Stella m'a dit de ne pas m'inquiéter, qu'elle reviendrait. Comme d'habitude. Mais cette fois, la pilule semblait avoir du mal à passer. Elle a ajouté, d'un air lointain :

— C'est une sacrée chieuse, ta mère.

Léna est rentrée le lundi soir, elle n'a rien dit, et la vie a repris son cours.

*

Ce dimanche matin-là, Alex a appelé pour pro-poser d'aller au cinéma. Je l'avais invité au mariage car il connaissait bien Barbara pour avoir défilé plu-sieurs fois avec nous, mais il avait refusé car il devait préparer un exposé. Il venait de le terminer, et avait envie de se distraire. J'avais aussi besoin de changer d'air. Je suis passé le prendre chez lui, il était tout seul. Quand je suis arrivé, il avait un verre de whisky à la main, il fumait un joint, et m'a proposé une taffe. On a commencé à fumoter sur le canapé. Il m'a demandé comment s'était passé le mariage, j'ai répondu que le père de Gaëlle avait tenu le coup, et que le plus dur était à venir. Il ne pouvait pas comprendre, il n'a pas cherché. Il avait un air fébrile, inhabituel, avec un sourire forcé. Il a fini son verre d'un trait. J'ai dit que si on ne se dépêchait pas, on risquait de rater la séance, il a répondu qu'il n'y avait rien de bien et qu'il préférait rester tranquille. Il a préparé des whiskys-coca, m'a proposé d'enlever mon duffle-coat. Je me suis mis à l'aise, je ne me suis pas méfié. Il me souriait bêtement. Il a posé son verre par terre et, soudain, il m'a sauté dessus. Il cherchait à m'embrasser, il essayait de me peloter, j'ai eu le plus grand mal à le repousser.

— Ça va pas, non ? T'es malade ?

En l'éloignant, je lui avais heurté le menton, il le massait d'un air douloureux.

— T'es con, tu m'as fait mal.

— Je n'ai pas fait exprès. Qu'est-ce qui te prend ?

— Je n'en peux plus, Paul. Je suis malheureux à en crever. Je pense à toi tout le temps, je n'arrive plus à bosser. Tu n'as aucune idée de ce que j'endure. J'en ai marre de me masturber sur ta photo.

— T'es malade !

— Moi, malade ? Et toi, tu es comment ? À essayer de draguer des lesbiennes.

— C'est faux. Je drague des femmes, elles sont homosexuelles, ou peut-être bisexuelles. Ce sont elles qui décident. Pour moi, l'amour est un jeu, je n'ai jamais forcé personne.

— Tu ne veux vraiment pas essayer ? Une fois. Pour voir.

Il avait l'air tellement perdu, tellement vulnérable que j'ai été désorienté, une voix au fond de ma tête a chuchoté : « Après tout, une fois, pourquoi pas ? On verra bien. » Je me disais que je ne risquais pas grand-chose et en même temps, je n'allais quand même pas me faire sauter uniquement pour lui faire plaisir.

Expérimenter ou ne pas expérimenter ?

Et si c'était ça la vraie question ?

Voyant mon hésitation, Alex a commis une erreur grossière, il a posé sa main sur mon genou, elle est remontée lentement le long de ma cuisse jusqu'à mon sexe. Il aurait dû attendre que je me décide, je l'ai immobilisé au moment où il allait poser sa paume dessus.

— Arrête, Alex, ça suffit ! Je n'ai pas envie ! Écoute, tu es mon ami, le seul, comme mon frère.

— Il y a des dizaines de millions d'homosexuels, il faut croire que ça ne doit pas être si désagréable.

— On ne couche pas avec son frère, non ?

— Juste une fois ?

*

Je retrouvais Mélanie n'importe où, à la sortie de sa fac, dans un McDo, chez elle, ou même au *Dingo*, parfois par hasard. Et la discussion repartait entre nous comme si on ne s'était pas séparé. L'essentiel de nos échanges se faisait par sms, elle écrivait à une vitesse supersonique (moi, par contre, je tape lentement, avec l'index) et corrigeait mes fautes d'orthographe, affirmant que si cela n'entrait pas dans le cadre de la thérapie, cela ne pouvait pas faire de mal. Au début, elle ne m'avait pas prévenu, mais je me suis rendu compte qu'elle me contactait à heure fixe, par exemple quand elle prenait son métro à Châtelet, elle profitait de ses déplacements pour travailler avec moi. Souvent, c'était à une heure où je dormais encore, j'entendais vibrer mon téléphone, je savais que c'était elle, je faisais l'effort de la prendre, et ça commençait. Quand je me suis étonné que nous procédions de cette façon, elle m'a répondu que la psychanalyse devait s'adapter à son époque, que si Lacan avait connu le smartphone et Skype ou Messenger, il en aurait été le premier utilisateur, cela ouvrait des perspectives inouïes, faisait gagner un temps fou et présentait l'avantage de supprimer les modulations de la voix, les silences et autres procédés pour influencer son interlocuteur, la froideur du texto garantissant l'impartialité de l'entretien. Moi qui me demandais ce que pouvaient se dire les gens qui pianotaient en permanence sur leur téléphone dans les transports en commun, aujourd'hui, je le sais.

Tu es encore sorti hier soir ?

Sui de la nuit, moi, après l boulot, jvé prendre un verre, cé pa interdi.

Écris bien, veux-tu. Tu es allé au *Dingo*?

J'ai croisé tes copines. Je pensais te voir.

Je n'y vais plus beaucoup, c'est mal fréquenté.

Ah ah ah.

Tu pourrais aller dans une autre boîte.

J'aime bien celle-là, elle est particulière.

Tu en as parlé à ta mère?

De quoi?

Que tu passes tes nuits dans une boîte de lesbiennes.

J'ai déjà suffisamment de problèmes avec elle pour pas en rajouter. Elle est persuadée que je suis à la colle avec Alex, et lui, en plus, il commence à devenir pénible. Faudrait que je me barre, que je trouve un studio, mais j'ai pas assez de ronds.

Tu ne pourras pas vivre toute ta vie dans le mensonge. Il faudra bien un jour affronter la réalité.

J'ai rien choisi, ni d'avoir une mère comme celle-là, ni d'être comme je suis.

J'arrive au boulot, salut.

*

Un soir, en arrivant au *Petit Béret*, j'ai trouvé une carte postale posée sur le pupitre du piano, j'ai présumé que c'était Stella qui l'avait mise là. Une carte postée de Barcelone, avec dessus la Sagrada Família, qui ressemble à un gigantesque château de sable. De

Hilda, bien sûr. Je ne l'avais pas oubliée, enfin pas complètement, elle était dans un coin de ma tête, comme une amie tapie dans l'ombre, ou rangée à je ne sais pas trop quelle place. Je n'y songeais plus vraiment. Elle disait qu'elle n'avait pas l'habitude d'écrire ; cela se voyait aux fautes d'orthographe et à son écriture en pattes de mouche. Elle écrivait qu'elle pensait souvent à moi, se demandant ce que je devenais, et si j'étais toujours amoureux d'elle, s'attendant à ce que j'apparaisse dans son restaurant, dont elle s'était gardée de me communiquer l'adresse, plusieurs fois elle avait cru m'apercevoir dans la foule d'une Rambla, et elle avait été déçue. Elle avait connu des problèmes et elle avait mûri, elle aurait été heureuse qu'on se revoie, que je lui joue *Con te partirò*, que j'interprétais, affirmait-elle, mieux que personne, et qu'on se parle pendant des heures comme lorsqu'on était tous les deux au restaurant. À Barcelone elle ne s'était fait aucun ami, elle ne voyait personne, elle s'ennuyait. Elle allait partir à la fin du mois, elle avait trouvé un poste dans un grand hôtel de Venise dont elle me donnait le nom, elle avait envie qu'on découvre cette ville ensemble. À un moment, elle avait imaginé revenir à Paris pour ses vacances, mais comme elle changeait de boulot, ce n'était pas possible. Pour finir, elle m'embrassait très fort, espérant que je pensais à elle comme elle pensait à moi. « Retrouvons-nous vite », concluait-elle au bas de la carte.

Hilda, bon sang ! Je l'avais aimée comme un fou, et je m'étais détaché d'elle sans trop de mal, j'avais guéri si vite que ça ne devait pas être un amour très violent. Comment peut-on oublier un grand amour ? Il faut croire que ce n'était pas une de ces fièvres vertigineuses qui vous emportent, vous submergent, et vous font faire des folies, ou alors je ne suis pas normal. Peut-être que si je la revoyais, je retomberais fou amoureux d'elle. Et qu'il y aurait une histoire formidable entre nous. J'ai fermé les yeux, j'ai revu ses cheveux dorés, son sourire enchanteur, j'ai senti une vague de chaleur m'envahir.

Aller à Venise ou ne pas y aller ?

Ça, c'était une question.

Puisque tu pars

Je peux dater avec précision le jour où notre vie a basculé et a commencé à partir en vrille. C'était un samedi matin lumineux et froid, qui précédait un long week-end de mai où Paris allait se vider et où le restaurant fermait deux jours.

La veille, j'étais sorti au *Dingo* avec Caroline, et on s'était disputé. Alors qu'on s'apprêtait à se mettre au lit, on s'était accroché parce qu'elle répétait que je devais me méfier de Mélanie et de ses idées bizarres ; cela m'avait énervé qu'elle la suspecte de pensées dissimulées, et encore plus qu'elle sous-entende que je n'étais pas capable de me défendre. Le ton était monté, j'avais ramassé mes affaires, j'étais rentré à la maison assez tard et de mauvaise humeur. J'avais mal dormi, je m'étais réveillé le premier, j'étais descendu acheter des croissants. En remontant, j'avais pris le courrier dans la boîte aux lettres et, au milieu des publicités, j'avais tout de suite remarqué une enveloppe au liseré noir adressée à Hélène Martineau. Cela m'avait surpris que son nom soit libellé ainsi, avec ce prénom qu'elle avait renié depuis si longtemps. Mais apparemment, quand on croit avoir enterré son passé, il vous revient comme un boomerang, et sans prévenir. Je n'avais rien dit, j'avais posé ce faire-part de décès sur le guéridon de l'entrée et j'étais allé prendre mon petit déjeuner.

Le samedi soir, Caroline était passée me chercher au *Petit Béret*, on était allé directement chez elle, on s'était réconcilié, mais elle me harcelait avec Mélanie, et quand j'avais reçu un sms de cette dernière et que je lui avais répondu, elle avait voulu savoir ce qu'on se racontait avec nos textos pendant une heure. J'avais eu le plus grand mal à sauvegarder l'intimité thérapeutique de mon smartphone.

À mon retour à la maison, le dimanche en fin de matinée, le faire-part était toujours là où je l'avais déposé. Je me suis demandé si ma mère l'avait vu. Alex a téléphoné pour qu'on se retrouve mais j'avais envie de rester tranquille, il a proposé de passer à la maison et je n'ai pas pu l'en empêcher. Léna prenait un bain bouillant et j'ai profité d'un moment où j'étais seul avec Stella pour l'interroger :

— Léna a vu l'enveloppe dans l'entrée ?

— Bien sûr.

— Et alors ?

— Alors rien, elle m'a dit de m'occuper de mes fesses, et elle a raison, ce ne sont pas mes oignons, moi je vais me faire un masque. Et à mon avis, tu ferais mieux de faire pareil.

— Tu crois que j'en ai besoin ?

Stella a fait son masque au jujube des Caraïbes, et comme il en restait dans le bol, j'en ai profité. Mais je n'arrêtais pas de penser à ce faire-part, je me demandais qui il pouvait concerner, si c'était quelqu'un de proche.

— Ce sont des gens très vieux que tu ne connais pas, a dit Stella, et moi non plus. On n'envoie plus de faire-part de nos jours, cela ne nous concerne pas. Tu ne peux pas être triste de la mort d'un inconnu.

— Oui, mais si c'est quelqu'un de la famille, c'est important, non ?

Alex est arrivé avec un gâteau pour quatre heures. Un savarin chantilly, parce que Léna en raffole, il sait comment se faire apprécier. Stella a préparé un chocolat, nous nous sommes installés autour de la table. J'ai découpé le gâteau, et donné la plus petite part à ma mère.

— Alors, comment ça va vous deux ? On ne vous voit pas beaucoup ensemble, a-t-elle dit.

— J'ai beaucoup de travail, a répondu Alex. Je prépare le bac.

— Tu sais que tu peux venir ici quand tu veux, et si vous voulez dormir ensemble, il n'y a pas de problème. Hein Stella, cela ne te dérange pas ?

— Pas du tout.

— Un de ces jours, pourquoi pas ? a dit Alex. Mais je ne sais pas si Paul en a très envie.

— Tu n'as pas envie qu'Alex vienne coucher dans ta chambre ? a demandé ma mère, presque offusquée.

— Le bac, c'est important, il ne faut pas le distraire.

— Écoutez, on a eu votre âge avant vous, il ne faut pas vous gêner pour nous.

— Au fait, Léna, je vous présente mes condo-
léances, a dit Alex.

— Pour quoi ?

— J'ai vu le faire-part dans l'entrée.

Léna s'est levée, elle est allée dans l'entrée, et elle
est revenue avec le faire-part. Elle l'a considéré un instant, j'étais persuadé qu'elle allait ouvrir l'enveloppe,
mais elle l'a déchirée en morceaux qu'elle a jetés dans
la poubelle.

On peut mentir aux autres, leur cacher la vérité, les
mettre à une telle distance qu'ils ne peuvent plus accé-
der à votre cœur, mais on ne peut pas les empêcher
d'exister. Stella avait choisi la voie de la tranquillité et
n'avait pas de raison d'affronter sa compagne sur ce
terrain, Alex n'était pas dans la course. Par contre, moi
je brûlais d'envie de savoir. Ma mère ne m'avait jamais
rien révélé sur sa famille. Elle avait toujours refusé
d'aborder la question et s'était débrouillée pour botter
en touche, avec cette façon rogue de répondre qui vous
interdisait de poursuivre, sous peine de cataclysme.
Jusqu'à présent, je n'étais pas préparé à l'affronter, mais
maintenant elle ne m'intimidait plus. Je savais que cela
pouvait dégénérer, que je risquais de me faire virer de
la maison, mais ce qui pouvait arriver, je ne m'en fichais
pas, c'était tout simplement moins important que ce
que je voulais découvrir de mon passé.

*

La nuit, je me suis levé quand tout le monde
dormait, je suis allé dans la cuisine. J'ai ouvert la

poubelle, j'en ai sorti les fragments déchirés, il n'y en avait pas des dizaines. J'ai séparé les morceaux de bristol et d'enveloppe. J'ai étalé les pièces côte à côte, petit puzzle pathétique annonçant le décès d'une inconnue, j'ai reconstitué le carton avec du papier collant :

Madame et Monsieur Laurent Charles Martineau, leurs enfants, leurs femmes et leurs maris, leurs frères et leurs sœurs, leurs oncles et leurs tantes, il y en avait quinze lignes tassées, avaient la grande douleur de nous faire part du décès de Marie-Laure Martineau, rappelée à Dieu dans sa trente-cinquième année. La cérémonie funèbre aurait lieu le mardi matin en l'église Saint-Honoré-d'Eylau et l'inhumation le même jour dans le caveau familial du cimetière de Passy.

Sauf coïncidence homonymique, je devais avoir là une grande partie de ma famille maternelle, mes grands-parents, oncles, tantes et cousins. Moi qui avais vécu avec une ascendance réduite à sa plus simple expression, je me retrouvais avec une famille nombreuse, je n'avais pas l'intention de passer à côté. J'ignorais ce que ferait ma mère, mais j'étais décidé à me rendre à cet enterrement. J'ai posé le carton reconstitué contre la cafetière et suis retourné me coucher.

Quand j'ai ouvert les yeux, il faisait jour, c'était un lundi férié au ciel limpide. J'ai entendu du bruit dans la cuisine, je me suis levé. Stella et Léna étaient assises, face à face. Elles ne parlaient pas. J'ai pris place à côté de Stella, qui m'a tendu un bol, je me suis servi du café. Ma mère n'avait pas l'air en colère, elle avait un visage absent. Elle tenait le bristol du bout des doigts, Stella la fixait d'un air peiné.

— C'était ma sœur, a dit Léna d'une voix basse. Ma petite sœur. La seule qui…

Elle a haussé les épaules, fataliste, a attrapé sa boîte de cigarillos, en a allumé un. Pour une fois, Stella n'a pas réagi.

— Tu aurais dû m'en parler avant, ai-je dit.

Elle est restée perdue dans ses pensées.

— Peut-être, a-t-elle fini par répondre.

— Demain, j'irai à l'enterrement.

— Comme tu veux, a-t-elle dit.

Elle s'est levée, en laissant le carton sur la table, a jeté son cigarillo dans sa tasse de café, elle est sortie de la cuisine.

— Tu viendras avec moi ? Je t'en prie, fais un effort, ai-je demandé à Stella.

Elle paraissait hésitante.

— Écoute, si ta mère ne veut pas y aller, c'est embêtant que j'y aille.

Léna est sortie peu après avec Stella. Je suis resté à la maison à bouquiner. J'ai fait une recherche sur Google sur la famille Martineau, il y avait six millions de réponses et pour chaque prénom associé, des dizaines de milliers de possibilités, je n'avais ni le courage ni le temps de chercher, j'ai laissé tomber. Alex m'a appelé pour qu'on aille au cinéma, j'ai prétendu que j'étais fatigué, il a proposé de passer, je lui ai dit que je voulais rester seul ; il a raccroché sans dire au revoir. Caroline a téléphoné, j'ai rejeté l'appel. Mélanie m'a envoyé un sms, elle voulait qu'on échange sur un point important que j'avais évoqué. Pour avoir la paix, j'ai éteint mon portable.

Léna et Stella sont rentrées vers minuit. Je regardais la télé dans le salon, j'ai interrogé Léna sur ses intentions pour le lendemain, elle n'a pas répondu.

*

J'étais rarement entré dans une église, j'ai trouvé l'endroit majestueux. J'étais arrivé en métro, en avance. Il y avait un monde fou sur le parvis, deux cents personnes, peut-être plus, des gens assez jeunes pour la plupart, au visage grave, qui se saluaient, s'embrassaient ou s'étreignaient avec dignité. Ils étaient vêtus de couleurs sombres, et semblaient guindés de tristesse. Avec mon dufflecoat bleu marine, je passais inaperçu. Il y avait une atmosphère pesante, des gestes retenus, même les enfants paraissaient tristes, comme si manifester un peu de vie aurait semblé inconvenant et déplacé. Je suis resté de l'autre côté de l'avenue à scruter les physionomies et les attitudes, à me demander qui ils étaient. Je croyais déceler chez certains des ressemblances avec moi ou Léna, mais c'était probablement une illusion.

Un peu après dix heures, le convoi funéraire est arrivé, il s'est immobilisé devant l'entrée. Les battants de l'église se sont ouverts. Quatre porteurs ont sorti d'une des trois camionnettes noires de grandes couronnes de fleurs et se sont figés, la foule est entrée en silence et, quand tout le monde a été installé, ils ont sorti le cercueil en bois clair et ont pénétré avec à l'intérieur de l'église. Les battants du portail se sont refermés, je suis passé par la porte sur le côté droit et me suis assis au dernier rang. Personne ne m'a prêté attention.

Les prêtres sont arrivés par la nef, accompagnés d'enfants de chœur, certains se sont assis, d'autres discutaient à voix basse, l'office tardait à démarrer. Plusieurs personnes pleuraient, se tamponnaient les yeux avec des mouchoirs. Une femme d'une cinquantaine d'années tout en rondeurs, aux cheveux bruns frisés contenus par un fichu, est venue s'asseoir à côté de moi. Elle avait le souffle court comme si elle avait couru.

— Ils ont commencé ? a-t-elle demandé d'un air inquiet, en s'éventant avec la main.

— Je ne crois pas, ai-je répondu.

— Je suis Roberta, a-t-elle dit comme une évidence, avec un léger accent.

Elle devait penser que j'étais censé la connaître.

— Je m'appelle Paul.

— Vous êtes un parent ? Un ami ?

— Un parent, lointain.

— La pauvre madame, elle était si gentille avec moi. Quel malheur.

Un air d'orgue aérien et très doux a empli l'église. L'assistance s'est levée, nous l'avons imitée. Roberta devait avoir besoin de s'épancher, elle m'a raconté, à l'oreille, qu'elle n'avait pas mis les pieds dans une église depuis son mariage vingt-cinq ans plus tôt, qu'elle avait fini par divorcer, et que son mari était retourné au Portugal. Elle ne supportait pas les enterrements, et les évitait parce qu'elle avait trop de chagrin, mais celui-ci, impossible d'y échapper, elle croyait pourtant en Dieu, il y avait une présence au-dessus de nous, c'était une certitude, mais elle ne croyait plus comme avant, comme quand elle était petite.

— Vous la connaissiez bien ? ai-je demandé.

— Je faisais son ménage deux fois trois heures par semaine depuis plus de dix ans, et son repassage aussi, mais en plus, chez moi. Elle était si courageuse, je ne l'ai jamais entendue se plaindre.

— Que s'est-il passé ?

En dix minutes, sur fond musical, j'ai eu un résumé de la maladie sournoise, de la rémission, des cheveux qui repoussent, de la rechute, des plaquettes qui s'effondrent, des médecins perdus, et du courage qu'il lui avait fallu. Une sainte.

Certainement.

Roberta parlait à voix basse, debout ou assise, je l'écoutais avec attention, et j'allais lui poser une question sur la famille présente quand j'ai reconnu ce bruit binaire ressemblant à la course régulière des sabots de chevaux galopant sur des pavés parisiens qui se rapprocha, s'immobilisa à proximité, et dura le temps que le moteur deux cylindres soit coupé.

Peu après, j'ai entendu la porte de côté qui grinçait, et j'ai su, avant de la voir, que Léna venait d'entrer dans l'église. Stella la suivait, un peu en retrait. Léna portait sa tenue cuir et de grosses lunettes rondes de soleil qui lui cachaient la moitié du visage. Elle ressemblait à ces vedettes qui souhaitent se dissimuler au regard des autres, mais que tout le monde regarde. Je les ai appelées discrètement, elles se sont assises à ma gauche. Roberta leur a serré la main. J'ai fait les présentations :

— C'est Roberta. C'était la femme de ménage de…

Je n'ai pas dit de qui, je n'y suis pas arrivé, elles l'ont compris. Nous avons suivi l'office pendant un quart d'heure, les prières, les réponses, nous nous sommes levés, nous nous sommes assis à l'unisson. Et puis, une femme âgée aux cheveux blancs coiffés en arrière est venue à notre niveau, elle a fixé Léna, lui a adressé un sourire amical, puis elle s'est penchée à son oreille. Léna a fait non de la tête, mais elle a insisté, elle lui a posé la main sur le bras, comme si elle voulait l'entraîner. Finalement, Léna a suivi la femme, s'est ravisée, a tendu la main vers Stella, qui a hésité et l'a rejointe. Puis ma mère m'a fait un signe de tête, et je les ai accompagnées. Nous avons remonté le couloir central sous les yeux de l'assistance.

Comme entrée discrète, c'était raté.

La femme aux cheveux blancs nous a invités à nous installer au premier rang, nous nous sommes dirigés vers les chaises libres. Un homme distingué d'une quarantaine d'années, en costume-gilet-cravate, s'est levé, il a pris Léna dans ses bras, ils se sont embrassés rapidement, puis la femme en tailleur noir à ses côtés a fait de même, ils ont serré la main de Stella, puis la mienne, nous nous sommes assis près d'eux et avons suivi l'office jusqu'à son terme.

Cela a été le premier enterrement auquel j'aie assisté. Je dois dire que j'ai trouvé ça très beau, je n'avais jamais écouté d'orgue jusqu'à présent, et les différents morceaux qui ont été joués étaient superbes. L'homélie du prêtre a été émouvante, on sentait qu'il était sincère, qu'il parlait d'une personne qu'il avait connue et appréciée, une fidèle de l'église qui participait à la vie de la paroisse et qui avait eu, comme l'avait évoqué Roberta, une vie exemplaire. Toutefois, j'avais un peu de mal à adhérer à son raisonnement, me demandant pourquoi Dieu dans sa toute-puissance n'avait pas épargné une jeune femme qui le servait avec autant de conviction et l'avait rappelée à lui, alors qu'elle aurait pu vivre encore une cinquantaine d'années. J'ai été tout simplement ébahi quand, à la fin, il a invité l'assistance à se recueillir et à écouter une chanson que Marie-Laure avait choisie elle-même pour cette cérémonie. Lorsque, dans le silence de cette église, les premières notes de *Puisque tu pars* se sont élevées, la voix fragile et perchée de Goldman a rempli l'espace, et les paroles de ce texte sublime nous ont tous bouleversés.

J'en ai eu la chair de poule.

C'est un peu idiot d'être autant ému pour une personne que l'on ne connaît pas, mais cette chanson m'a toujours fait cet effet. On entendait les nez renifler, et là j'ai vu, de mes yeux vu, Léna essuyer une larme d'un revers de manche, à deux reprises, et se mordre la lèvre longuement.

Puisque l'ombre gagne
Puisqu'il n'est pas de montagne
Au-delà des vents plus haute que les marches de l'oubli
Puisqu'il faut apprendre
À défaut de le comprendre
À rêver nos désirs et vivre des Ainsi soit-il.

Puis le prêtre a levé et écarté les mains, comme s'il voulait étreindre l'assemblée. Notre rangée est sortie en premier et, au fur et à mesure, chaque rang lui a emboîté le pas; sur les paroles du dernier couplet, nous avons quitté l'église. Nous sommes restés sur le parvis au milieu de la foule qui s'agglutinait, malgré le soleil il faisait assez froid. L'homme élégant au costume-cravate nous a rejoints avec sa femme, et Léna nous a présentés, d'une manière un peu distante :

— Paul, c'est Stéphane, mon frère aîné, et Sandrine, sa femme.

Stéphane a avancé le bras, nous nous sommes serré la main fermement.

— Je suis heureux de faire ta connaissance, malgré les circonstances, a-t-il dit.

— Moi aussi, a dit Sandrine en tendant une main un peu molle.

— Où sont les enfants ? a demandé Stéphane à sa femme. Ils vont être ravis de te connaître.

Sandrine nous a abandonnés et elle est partie à leur recherche.

— Et je te présente Stella, ma compagne, a poursuivi Léna.

— Bonjour, madame, a dit Stéphane, la saluant d'un bref mouvement de tête.

Nous sommes restés un moment silencieux, puis Stéphane a fait un signe de la main à une femme en manteau gris, avec de longs cheveux blonds, qui est venue se planter devant nous.

— Hélène, tu ne me reconnais pas ? a demandé cette dernière d'une voix inquiète.

Ma mère a scruté son visage en fronçant les sourcils.

— Céline, voyons. Je n'ai pas changé à ce point.

— Céline ! Bon sang, Céline. Mais non tu n'as pas changé, c'est moi qui...

Elles sont tombées dans les bras l'une de l'autre.

— Je suis tellement heureuse de te revoir, a dit Céline.

— Moi aussi. Je te présente Paul, mon fils, et Stella, ma compagne.

— Qu'est-ce qu'il est grand ! Il est superbe.

— C'est Céline, ma cousine, la fille de mon oncle Jacques, qui est décédé il y a longtemps.

Céline m'a embrassé et elle a salué Stella d'un sourire. Un couple âgé nous a rejoints. L'homme, avec un air de gentleman-farmer, s'appuyait sur une canne, il avait des traits fins et nobles, des cheveux blancs coiffés en arrière, la peau tachetée. Il m'a fait penser à un ancien acteur américain, mais je ne sais plus lequel. La femme portait un chapeau avec une voilette noire qu'elle a relevée, j'ai remarqué son fond de teint un peu trop rosé, ses cheveux dorés, ses yeux bleus. Elle était emmitouflée dans un manteau de vison, un sac en croco pendait à son coude. Elle tenait une paire de gants en cuir dans une main et deux bagues en diamants éclairaient son autre main. Elle gardait la trace vivace d'une beauté ancienne, et me fixait avec un sourire attendri.

— Papa, je te présente Paul, a dit Léna.

J'ai fixé mon grand-père, il avait belle allure. J'ai avancé la main pour serrer la sienne, mais il n'a pas bougé. Nous sommes restés un instant dans cet état d'apesanteur. Je crois qu'il a hésité, qu'il a réfléchi. Et puis, sans un mot, comme si nous étions transparents, il a fait demi-tour, me laissant avec mon bras tendu. En claudiquant, appuyé sur sa canne, il a disparu dans la foule. Ma grand-mère a posé sa main sur mon épaule.

— Je suis tellement heureuse de te connaître enfin. Tu ressembles à Jacques, mon frère, c'est étonnant. Il nous a quittés il y a près de vingt ans.

Elle m'a embrassé avec chaleur. Quand elle s'est reculée, une larme a coulé sur sa joue fardée, qu'elle n'a pas cherché à dissimuler ou à essuyer, comme si elle ne s'en était pas rendu compte, ou qu'elle s'en fichait.

— Tu vas venir avec nous, a-t-elle dit. Nous devons faire connaissance.

Elle m'a pris par le bras et m'a entraîné. Nous sommes montés dans le premier corbillard. Les porteurs finissaient d'installer le cercueil de ma tante à l'arrière et le recouvraient de gerbes de fleurs. Par la fenêtre, j'ai vu Léna et Stella se diriger vers la Harley. Elles discutaient et semblaient en désaccord, à en juger par les gestes saccadés de ma mère. Cette dernière a mis le moteur en marche, son casque sur la tête, Stella s'est assise derrière elle. La camionnette a démarré. J'étais persuadé que Léna suivrait, mais la moto a fendu la foule, obligeant les gens à s'écarter. Elle a fait demi-tour, coupant la circulation de l'avenue, et elle est partie dans le sens opposé. Je me suis penché et, dans le rétroviseur, je l'ai vue s'éloigner.

J'ai fermé les yeux, j'ai réalisé que la trêve venait de s'achever. J'ai profité de l'arrêt à un feu rouge pour ouvrir la porte coulissante et je suis descendu. Ma grand-mère m'a dévisagé d'un air désolé, mon grand-père regardait droit devant lui. J'ai repoussé la porte. Le chauffeur s'est retourné avec une hésitation, mon grand-père a eu un geste agacé de la main pour l'inviter à poursuivre sa route. Dans le deuxième fourgon, mon oncle Stéphane s'est retourné en me voyant au milieu de la chaussée. Il m'a adressé un signe d'au revoir. Des voitures ont klaxonné, je suis monté sur le trottoir. Le convoi est passé, et a disparu à mon regard.

*

Curieusement, nous n'en avons jamais discuté, la cause était entendue, Léna n'avait pas envie d'en parler. Elle savait que c'était inutile, elle avait perdu sa famille il y a longtemps déjà. J'avais voulu lui forcer la main et j'avais eu tort.

Ce jour-là, j'ai compris deux choses qui m'avaient échappé jusque-là.

Lorsqu'un lien s'est cassé, pas distendu ou évaporé, mais brisé, on peut en être malheureux et avoir des regrets, mais cela ne sert à rien d'imaginer réparer et d'espérer revenir à l'état antérieur, on n'y arrive jamais, même si on fait des efforts de part et d'autre, il reste toujours une odeur de cadavre quelque part.

Ensuite, on ne peut pas avoir une famille tout seul, en passant sur le corps des autres : sans Léna comme passerelle, tout était terminé, il valait mieux être orphelin, et se construire sa famille à soi.

*

La salle du *Petit Béret* se remplissait lentement ; des habituées, c'était un soir peinard, sans match. Je jouais *L'Été indien*, une musique bénie qui roule toute seule, quand une femme m'a demandé si je connaissais *La Paloma*. Elle avait envie de faire une surprise à sa copine pour leur anniversaire de rencontre. Je ne connaissais pas. Elle était persuadée que je ne pouvais pas ne pas l'avoir entendue au moins une fois, toutes les femmes, jurait-elle, aimaient cette chanson, et pour me convaincre, elle l'a chantonnée :

– *Cucurrucucu, cucurrucucu, ay, ay, ay, ay, ay, la paloma triste… (bis).*

Je lui ai promis que j'allais trouver l'air et le lui jouer, elle est retournée s'asseoir. J'ai allumé mon smartphone, et je cherchais la chanson sur YouTube quand j'ai reçu un texto auquel j'ai répondu aussitôt :

Je rentre chez moi, je suis dans le couloir de Châtelet, mais il n'y a plus de tapis roulant. Finalement, tu ne m'as jamais dit ce qu'il y avait dans ta chambre d'enfant.

Tu me prends au dépourvu. J'ai pas beaucoup de souvenirs avant Stella. Il y avait une nourrice chez qui je passais beaucoup de temps, ma mère travaillait comme une folle.

Vous n'aviez pas de famille ? une grand-mère ? une tante pour te garder ?

Juste cette nourrice. Je me souviens plus de son nom, elle gardait plusieurs enfants dans la cité, on habitait dans la banlieue nord. Elle faisait du riz au lait. Oui, de grandes bassines de riz au lait.

Dans ta chambre, il y avait qui d'autre ?

Il y avait que ma mère, et ses copines de l'époque, il y en avait une, grande, très sympa, qui m'emmenait au manège.

Et ton père ?

Je te l'ai déjà dit : inconnu.

Avec ta mère, vous n'en avez jamais parlé ?

Jamais.

J'ai du mal à comprendre que la question ne t'intéresse pas.

Quand j'étais au collège, j'ai eu des problèmes avec des petits cons parce que j'avais pas de père, mais c'était eux mon problème, pas l'absence de père.

Et cela ne t'a vraiment pas manqué de ne pas avoir de père ?

Non, c'est ma mère qui conduisait la moto.

Je comprends.

Stella est venue interrompre ma thérapie numérique d'une façon relativement agressive :

— J'ai dit cent fois que je voulais qu'on coupe les portables pendant le service !

— Hé, c'est pour la cliente là-bas, elle m'a demandé de jouer *La Paloma*, je cherche l'air.

— Ah, c'est une chanson merveilleuse, j'adore. Tu as vu le film ? Comment il s'appelle déjà ? Attends, je vais te la chanter… *Cucurrucucu, cucurrucucu, ay, ay, ay, ay, ay, la paloma triste…*

*

— 15,98 ! Putain ! C'est une cata !

Alex vient de réussir le bac, ce n'est pas original, il a raté la mention très bien d'un cheveu et il est effondré comme s'il avait été recalé, il m'entretient pendant une heure des filières et des admissions. Il attend des réponses pour des prépas aux grandes écoles, mais pour les meilleures il n'a plus beaucoup d'illusions. Je hoche la tête, j'essaye de compatir. Il demande ce que j'ai prévu pour les vacances, propose qu'on parte ensemble quelque part, je réponds que ce n'est pas un sujet d'actualité à la maison, on ira probablement quelques jours dans le Limousin chez les parents de Stella, ou pas. Il me parle de son père, qui ne tarit pas d'éloges sur mon travail et mon implication. Je réalise qu'il a posé sa main sur la mienne, je la retire.

— Tu sais, j'ai changé, me dit-il. J'ai réalisé que nous deux, ce ne sera pas possible. C'est dommage, on aurait pu vivre une grande histoire.

— Écoute, Alex, tu vas pas recommencer.

— Pour moi, tu seras toujours plus qu'un frère. Mais c'est sans espoir, alors je me suis résigné. Et… il faut que je te dise : j'ai rencontré quelqu'un.

— Ah bon ! C'est bien.

— Enfin, c'est quelqu'un que je vois souvent, quelqu'un de sympa finalement, mais il n'y a rien eu encore entre nous. Rien de vraiment sexuel, je veux dire.

— Si tu as envie, si c'est un homme qui te plaît, faut pas hésiter.

— J'hésite parce que c'est quelqu'un que… qui… enfin… tu… je ne sais pas si… Et puis, je me dis que je ne vais pas t'attendre toute ma vie, mais…

Alex n'a pas continué. Je l'ai encouragé mais il n'arrivait pas à en parler, et me fixait avec un regard affligé. Je n'ai pas réussi à savoir s'il espérait toujours avoir avec moi sa première expérience ou s'il y avait autre chose. Soudain, il s'est levé et il est parti.

*

Il y a des événements insignifiants qui prennent tout à coup une dimension extraordinaire, au point de changer votre vie, et plus tard, quand vous essayez d'analyser à tête reposée ce qui est arrivé, de vous remémorer l'enchaînement des faits qui ont tout fait basculer, vous vous rendez compte que c'est parti d'un détail dérisoire et qu'il était strictement impossible de le prévoir, ou de l'éviter.

Cela faisait un temps fou que je n'avais pas vu Caroline, je lui avais téléphoné à plusieurs reprises, mais je tombais toujours sur son répondeur et je laissais des messages restés sans suite de sa part. Ce soir-là, elle est apparue au *Petit Béret*. Le pire, c'est que je ne l'ai pas reconnue.

J'avais quitté une fille brune aux sourcils noirs marqués, toujours en jean-baskets, coiffée à la Louise Brooks, et je me trouvais devant une élégante aux cheveux longs blond vénitien qui s'enroulaient dans son dos. Les femmes ont la faculté mystérieuse de changer de peau quand elles changent de coiffeur. Son site de voyages en ligne avait été racheté par une boîte italienne, elle avait passé deux mois à Milan, et revenait à Paris où elle avait été nommée directrice du développement.

— Tu es sublime, Caroline.

— Oui, mais tu ne m'avais pas reconnue.

— Je suis un peu perturbé en ce moment. Tu dois faire des ravages comme ça.

— Si seulement c'était vrai. Joue-moi ma chanson.

Je me suis lancé dans *In the Mood for Love*. Pour elle.

Cela faisait un moment que je ne l'avais pas interprétée, et je ne saurais pas expliquer pourquoi je la jouais mieux quand elle était là. Je ne saurais pas expliquer non plus pourquoi je tombais amoureux de cette fille quand je la voyais et pourquoi je l'oubliais quand on se séparait. Elle a écouté sa chanson les yeux fermés, comme si c'était un cantique, les mains posées sur le piano. Je l'ai chantée assez lentement, d'une voix nasillarde pas très heureuse, mais ça ne l'a pas dérangée.

— Je t'adore, a-t-elle dit à la fin.

On est allé fumer une cigarette dehors. Il faisait bon, quelques clientes formaient un petit attroupement sur le trottoir, nous nous sommes éloignés. Elle m'a raconté qu'elle avait rencontré quelqu'un à Milan, qui tenait un bar sur les Navigli, mais elle ne savait pas si c'était sérieux. Ce n'est pas facile de s'aimer de loin, non ? J'allais demander des précisions sur son nouvel amour, quand elle m'a fixé avec intensité.

— C'est vrai que tu vas te faire opérer ?

— Qui t'a dit ça ?

— Mélanie. Il paraît que tu suis un traitement psychologique, et que ça avance bien. Elle est contente. C'est vrai ?

— Il n'en est pas question ! Elle n'avait pas le droit d'en parler, c'était couvert par le secret professionnel. J'ai dit ça il y a longtemps, c'était stupide.

J'ai attrapé mon téléphone et composé son numéro. À ma grande surprise, Mélanie a répondu.

— Qu'est-ce que t'es allée raconter comme conneries à Caroline ?

On ne devrait jamais s'engueuler par téléphone, on est en état de faiblesse technique. J'avais à peine commencé à lui faire part de la fureur que sa trahison suscitait en moi qu'elle a raccroché. Mes autres appels ont atterri sur sa messagerie. Je n'ai pas résisté au plaisir de lui balancer ce que je pensais de sa manière de procéder, qu'on en avait fini de toute relation ensemble, et qu'elle pouvait se mettre sa thèse où je pense.

Caroline avait rencontré Mélanie la veille au *Dingo*. Cela faisait deux semaines que je n'y avais pas mis les pieds, j'ai décidé d'y faire un tour, espérant tomber sur Mélanie pour lui confirmer ce que j'avais sur le cœur. Caroline a tenté de me dissuader d'y aller dans cet état d'excitation, mais j'étais décidé à avoir une franche explication avec Mélanie. Elle a tenu à m'accompagner et, après la fin du service, nous sommes partis ensemble. Virginie gardait la porte avec son efficacité habituelle, nous lui avons fait la bise, et sommes entrés dans la boîte, où régnait une chaude ambiance.

J'ai cherché Mélanie parmi les noctambules, j'ai croisé une de ses copines qui m'a dit qu'elle ne l'avait pas encore vue. Caroline essayait de me raisonner ; c'était toujours mauvais de réagir à chaud, sous le coup de la colère, il valait mieux laisser passer un peu de temps et, dans quelques jours, à tête reposée, j'aurais certainement une réaction différente.

— Caroline, je t'aime bien, mais occupe-toi de tes affaires !

Je suis monté à l'étage, espérant y trouver Mélanie, qui appréciait le bar du balcon. Il y avait un monde fou, je devais fendre la foule. J'avançais sans regarder devant moi et, soudain, je suis tombé sur Judith, l'assistante de Léna, qui tenait un verre dans chaque main.

— Paul ! Qu'est-ce que tu fous là ?

— Salut, Judith, comment va ? Je cherche une copine. Tu connais Mélanie ?

— Non. Je t'ai demandé ce que toi, tu faisais là !

— Je te l'ai dit, je cherche une amie.

— C'est possible, mais c'est une boîte lesbienne ici, les mecs sont interdits.

— Ah bon !... Oh, c'est long à expliquer, vois-tu.

En réalité, je me trompais, les choses étaient surtout compliquées à expliquer. Particulièrement dans une boîte de nuit où la musique faisait un boucan d'enfer. Je parlais, mais de toute évidence elle ne comprenait pas. Elle a pris son téléphone et appelé un numéro programmé. Elle a discuté deux minutes, fait plusieurs fois oui de la tête et raccroché. Elle m'a dévisagé de son air peu aimable. Je n'ai jamais eu d'atomes crochus avec cette fille et, de toute évidence, c'est réciproque. Elle est l'assistante de ma mère depuis des années, cette dernière l'apprécie, la laisse s'occuper de certains projets, et elle commence à se faire une clientèle, pas besoin de se demander la tête de zombie qu'elles ont. Cette fille est épaisse dans tous les sens du terme et a quinze ans d'âge mental. Elle a conservé le look punk de son adolescence, mais il y a un âge où les tempes rasées avec une crête bleue, les anneaux, piercings, vestes à clous, Doc Martens et autres accessoires débiles, ce n'est pas seulement ridicule, mais pitoyable.

Cela étant pensé, je ne voyais pas l'intérêt de passer plus de temps avec elle. Je faisais demi-tour quand elle a posé la main sur mon épaule. Et je dois dire qu'elle a la poigne ferme, cela ne m'étonne pas qu'elle soit douée pour le tattoo gothique.

— Tu attends Léna, elle arrive.

— Ce n'était pas la peine de la déranger.

— Fais pas chier, Paul. Tu ne bouges pas.

On est resté face à face sans rien se dire. Les clientes nous bousculaient en allant au bar. Judith m'a fait signe de la suivre, une table venait de se libérer. On a attendu un long moment. Bizarrement, pas un instant je n'ai pensé à me casser, j'ai patienté sagement, comme un agneau attend le boucher. Caroline est arrivée, je lui ai présenté Judith, elles ont engagé la conversation. Caroline voulait se faire tatouer des ailes de condor sur les reins, et en couleurs, comme je ne sais plus quelle chanteuse italienne. Judith a dit que ce n'était pas fastoche et lui a donné sa carte du *Studio*.

— Il faut voir. Appelle pour prendre rendez-vous, je te ferai un devis. Tu auras un bon prix, parce que tu es une amie de Paul.

— Oh, c'est gentil, merci.

— En ce moment, on a deux mois d'attente.

Caroline n'était pas pressée. Elle nous a abandonnés parce qu'elle venait de croiser une amie qu'elle n'avait pas vue depuis longtemps.

— Elle te prend pour une fille, c'est ça ? m'a demandé Judith avec une grimace.

J'ai fait celui qui n'avait pas entendu. Le téléphone a vibré, elle a souri en le consultant.

— On est là-haut, a-t-elle dit, et elle a raccroché. On va rigoler.

Léna est apparue, suivie de Stella, elle me cherchait dans la foule, je me suis tassé sur ma chaise. Judith leur a fait un signe de la main, elles nous ont rejoints. Je gardais la tête baissée, j'ai attrapé mon verre, j'ai aspiré dans la paille longuement, mais il était vide.

Je voyais le pantalon en cuir de ma mère près de la table. Elle attendait que je lève la tête, je faisais celui qui ne la voyait pas.

— Ah, cela me rappelle ma jeunesse, a dit Stella. C'est idiot qu'on ne vienne plus, Léna. Il y a une sacrée ambiance. Tu ne trouves pas ? On devrait sortir plus souvent.

Léna n'a pas répondu. Sa jambe s'agitait, comme prise de tremblements, sa main tapotait sa cuisse à toute vitesse.

— Qu'est-ce que tu fabriques là, Paul ? Tu ne vas pas me dire que tu viens ici en te faisant passer pour une femme ? Hein ? Ce n'est pas possible. Hé, regarde-moi quand je te parle. Je te fais peur, c'est ça ?

En réalité, elle se trompait, je n'avais pas peur.

C'était autre chose, je ne sais pas quoi.

J'ai levé la tête, puis je me suis dressé, face à elle, et je l'ai fixée. J'essayais de garder un visage impassible.

— Alors, tu vas me dire ce que tu fous là ? C'est un accident, je pense. Virginie devait regarder ailleurs quand tu es passé.

— Virginie ? Elle me laisse rentrer sans problème. C'est une copine, on se fait la bise. Je viens ici souvent. À une époque, j'étais là tous les soirs.

— Ah bon ! Mais pourquoi tu viens ici ? Ce n'est pas une boîte pour toi.

— Pourquoi ?

— C'est une boîte de filles, d'homosexuelles.

— Cela ne me dérange pas, tu sais, j'ai l'habitude.

— Tu vas me dire ce que tu fais là ?

— Tu veux savoir ? Je viens ici pour draguer ! Je suis lesbien, figure-toi, j'aime les femmes.

— Qu'est-ce que c'est que cette connerie ? Je croyais que tu étais homosexuel.

— J'ai dit ça ? Moi ? Eh bien, tu te trompes, complètement. Je ne suis pas homo, je ne l'ai jamais été. Et si Alex te l'a fait croire, c'est pour que tu me foutes la paix. Parce que tu rêvais que ton fils soit homo. Ah oui, c'était une telle joie pour toi. Malheureusement, je ne suis pas homo, je suis hétéro. Et un hétéro heureux, ne t'en déplaise. Tu entends ? Je suis hé-té-ro ! Et je suis fier d'être hétéro. Je viens ici pour draguer des filles.

— Ce n'est pas possible !

— Bien sûr que si. Il y en a plein qui adorent se taper un mec de temps en temps, figure-toi. Et tu veux que je te dise ? c'est délicieux, tu n'as aucune idée du pied qu'on prend.

J'avais encore plein de choses à lui balancer, mais j'ai arrêté mon coming out, parce qu'un attroupement s'était formé autour de nous. Je ne voyais pas l'intérêt de continuer à laver notre linge sale en public, mais Léna, elle, s'en foutait.

— Alors, tu m'as trompée tout ce temps ?

— Comment faire autrement ? Avec toi qui étais toujours sur mon dos, avec cette pression permanente, tes sous-entendus comme quoi il fallait savoir qui on était, et que tu espérais que je ne te décevrais pas, tu t'en souviens ?

— C'est dégueulasse. On n'a pas le droit de se mentir et de tricher à ce point, c'est odieux ! Tu vas foutre le camp de la maison tout de suite, je ne veux plus jamais te voir !

— Ne déconne pas, Léna, a dit Stella. Après tout, il est comme il est, c'est lui que ça regarde, pas toi.

— Il m'a trahie ! Il n'avait pas le droit, pas lui !

— Ce n'est pas vrai ! Je n'ai jamais menti. Pas une seule fois. Je n'ai jamais dit que j'étais homo. Alex ne l'a pas dit non plus, il s'est fait tatouer mon prénom sur son bras, c'est tout, c'est son droit, mais il n'a rien dit, il aurait bien voulu qu'on soit ensemble mais je n'ai jamais voulu, c'est une histoire entre nous, c'est toi qui as pris tes désirs pour la réalité. Alors tant pis, il faut que tu m'acceptes comme je suis. Que ça te plaise ou non. Mais je ne veux plus être enfermé dans une case parce que ça te convient, je ne veux plus jouer la comédie pour te faire plaisir, je ne veux plus avoir peur de toi, tu comprends ? Tu m'étouffes, je n'en peux plus !

— Tu n'es qu'un petit salaud ! Je ne veux plus te voir, plus jamais !

Léna s'est éloignée, suivie de Stella qui essayait de la raisonner, mais avec le bruit, je doute qu'elle ait entendu quoi que ce soit. Judith me toisait avec un sourire narquois ; normalement, j'aurais dû lui sauter dessus, mais je n'en avais même pas envie. En haut de l'escalier, Virginie bloquait le passage, elle se tenait la tête entre les mains.

— C'est vrai, t'es un mec ?

Elle avait un air dépité, je ne savais pas quoi dire.

— Non, c'est une blague ? Putain, pourquoi tu m'as fait ça ?

J'ai avancé, elle s'est écartée, j'ai fendu l'attroupement des clientes qui me dévisageaient avec hostilité. On n'était pas près de me revoir ici.

Dommage.

*

J'avais besoin de réfléchir. J'ai fini par trouver un troquet ouvert boulevard Beaumarchais, où je suis entré prendre un café. Il y avait une demi-douzaine de pochetrons au comptoir, des compagnons d'infortune qui avaient la trouille de se faire engueuler quand ils rentreraient ou qui n'avaient personne qui les attendait chez eux.

Je m'étais flambé tout seul. J'allais devoir quitter le domicile maternel et me trouver un point de chute. À coup sûr, c'en était fini de mon boulot au *Petit Béret*. Même si Stella avait été d'accord pour que je continue, je voyais mal ma mère nous laisser bosser ensemble comme si de rien n'était.

Le pire, c'est que je ne regrettais rien.

Si c'était à refaire, je recommencerais. La seule erreur que j'avais commise, c'était de n'avoir rien dit. Par peur ou par lâcheté. Mais il était évident que, tôt ou tard, le pot aux roses serait découvert et que j'aurais à en payer le prix.

J'ai téléphoné à Mélanie pour lui demander si je pouvais passer ce qui restait de la nuit chez elle ; c'était à cause d'elle que tout était arrivé, elle me devait bien un coup de main, mais elle était sur répondeur, je n'ai pas laissé de message. J'ai fait le tour de mon répertoire téléphonique. À part Alex, il n'y avait pas grand monde que je pouvais contacter. J'ai composé son numéro, mais lui aussi était sur messagerie. Je suis arrivé devant l'immeuble de Caroline, elle au moins ne me laisserait pas tomber. J'ai sonné à sa porte. Je m'attendais à devoir tambouriner pour la réveiller, mais elle a ouvert rapidement. Elle était vêtue d'un tee-shirt blanc, ses beaux cheveux étaient ébouriffés.

— Ah, Caro, je suis content de te trouver, je suis épuisé, je peux dormir chez toi ?

— Je ne suis pas seule, Paul. Tu as vu l'heure ? Tu aurais pu téléphoner.

— J'étais à côté. Je peux dormir dans ton bureau, sur le fauteuil. N'importe où. Je ne te dérangerai pas.

— Ce n'est pas possible. Il vaut mieux que tu rentres chez toi.

— Je t'en prie, Caro, ne me laisse pas tomber.

— Je suis avec quelqu'un et…

Nous avons entendu du bruit en provenance du salon. Caroline s'est retournée. Mélanie est apparue, emmitouflée dans une couette, seule sa tête dépassait.

— Salut, Paul, m'a-t-elle dit. Comment ça va ?

Qu'est-ce qu'il faut faire dans ce cas-là, hein, vous pouvez me le dire ?

J'ai fait celui qui n'avait pas l'air plus étonné que ça, j'ai renoncé, et j'ai abandonné mes deux meilleures copines. J'ai cherché un hôtel, mais ceux qui avaient une chambre libre étaient hors de prix, alors j'ai laissé tomber. J'ai marché un moment, j'ai attendu sur un banc, je me suis endormi, une sirène de police secours m'a réveillé. Un peu avant six heures, je me suis décidé à rentrer à la maison.

Pour récupérer mes affaires.

Quand j'ai ouvert la porte d'entrée, le silence régnait dans l'appartement. Je suis allé dans ma chambre. J'ai pris un sac de sport, j'ai entassé quelques vêtements dedans. J'ai récupéré deux sacs en plastique que j'ai remplis aussi. C'est assez compliqué de choisir ce qu'il faut emporter. Entre l'utile et le nécessaire, ce dont vous aurez besoin et ce qui vous tient à cœur, le choix est impossible. Je ne pouvais pas partir sans trois douzaines de bouquins et une bonne centaine de CD. Tant pis pour les albums photo. Tant pis pour les vêtements. J'étais en train de finir le deuxième sac, quand j'ai entendu du bruit dans le couloir. Stella est apparue en chemise de nuit.

— Tu peux déballer, a-t-elle dit. J'ai parlé avec Léna, elle est d'accord pour que tu restes.

— Il n'en est pas question !

Stella a poussé un soupir, elle s'est laissée tomber sur le bord de mon lit.

— J'ai eu un peu de mal à lui faire admettre qu'elle ne pouvait pas te mettre à la porte parce que tu es encore mineur pour deux mois, alors tu ne vas pas commencer à me les casser toi aussi !

Depuis le temps que je connaissais Stella, je ne l'avais jamais entendue jurer ou dire une grossièreté. Elle n'avait vraiment pas l'air aimable.

— Ah, les Martineau, vous me fatiguez sérieusement, a-t-elle poursuivi. Tu ranges tout, et tu arrêtes tes conneries !

Elle s'est levée et a posé la main sur mon épaule.

— Écoute, Paul, ne complique pas tout. On a quelques semaines pour trouver une solution. D'ici là, elle sera calmée et pensera à autre chose. Alors ce n'est pas la peine d'en rajouter. Va la voir, discute avec elle, je ne sais pas moi, excuse-toi, fais un effort.

— Il est hors de question que je m'excuse de quoi que ce soit !

— Vous êtes aussi butés l'un que l'autre. Si tu veux t'en aller, tu es libre, mais tu vas tout gâcher. On va en discuter tous ensemble, il faut y mettre un peu de bonne volonté. Quand tu seras majeur, tu feras ce que tu voudras.

Comment s'y prend-on pour recoller les morceaux ? Pour se réconcilier ?

Qui peut me donner le mode d'emploi ?

Me rabibocher avec ma mère était une chose complexe à concevoir, il aurait fallu arriver à l'attraper, à la faire asseoir, qu'elle veuille écouter et parler. Mission impossible. Avec elle, le statu quo est un exploit. Je ne sais toujours pas comment Stella fait pour la supporter depuis tout ce temps. Quand je me suis réveillé, elle était partie. J'ai essayé de la joindre sur son portable, mais elle n'a pas pris mes appels, je ne voulais pas passer au *Studio* et risquer de tomber sur l'autre tordue de Judith. Alors, comme d'habitude, j'ai attendu, et il ne s'est rien passé. On a continué à avancer sur nos fils parallèles comme des funambules. Il n'y a aucune chance qu'on se croise.

*

Trois jours plus tard, Marc m'appelle, il souhaite que je remplace un collègue qui s'est cassé la jambe. Dans cette boîte, c'est particulier, on ne connaît personne, on a l'impression de bosser en tête à tête avec son patron. Marc doit tenir ses objectifs, il a un boulot fou et pas le temps de recruter et de former quelqu'un. Il veut que je fasse les restos inscrits à mon planning de ce mois, et en plus que j'assure la moitié de ceux du collègue pendant quatre semaines, le temps que celui-ci puisse se déplacer, même sur des béquilles. Marc devra trouver quelqu'un d'autre pour la seconde moitié, sinon il sera obligé de s'en charger lui-même. En cette période compliquée où j'ai besoin d'argent, j'accepte. Il m'envoie mon nouveau planning par mail. Ce ne sont pas des cadences infernales, je devrais y arriver sans problème. Je le rappelle et lui annonce que si ça l'arrange, je veux bien tout prendre. *Pour te dépanner*. Il me dit que je suis formidable, que je lui enlève une épine du pied et qu'il s'en souviendra.

Je profite du dimanche soir pour débarquer à Saint-Denis, ce n'est pas mon secteur. Le pire dans ce boulot, c'est l'impression de tourner en rond, de radoter, de répéter la même procédure à l'infini : avec la même déco, la même bouffe, les mêmes odeurs, les mêmes têtes. C'est tellement codifié, balisé, que je me demande pourquoi ils ont besoin de contrôler encore.

Pour que ça reste parfait, probablement.

Ici, c'est une affaire qui tourne. Malgré la foule qui se presse, l'ambiance est bon enfant, la plupart des places sont occupées par des familles qui dînent joyeusement. Une équipière nettoie avec conviction les tables et les chaises, elle balaye le sol avec une énergie incroyable, gratte un chewing-gum écrasé avec des ciseaux, récupère les papiers et les cartons qui traînent, c'est nickel, elle ramasse les poubelles et les plateaux avec efficacité. D'habitude, les filles ne font pas de zèle, il n'y a aucune raison de se fouler pour des clopinettes ; elle, elle astique vraiment. Les clients l'ont à la bonne, ils se poussent immédiatement pour la laisser nettoyer et blaguent avec elle. Elle ne porte pas de badge, et a un seul gant, mais je ne vais pas les emmerder avec ça. Je commande un menu Big Country à une borne. Il est servi en deux minutes chrono. Rien à dire. Le patron connaît le taf. Je m'installe en terrasse, adossé à une tablette. J'aime bien être perché sur un tabouret et dominer la situation. Pour une fois, j'ai faim, je n'ai rien mangé depuis le matin.

La fille nettoie toujours, ce n'est jamais fini. Celle-là, le patron a intérêt à la chouchouter, il n'en trouvera aucune qui frotte autant, et avec le sourire en plus. Elle sourit quand elle dérange les gens, et ils se bougent sans râler. Quel âge peut-elle avoir ? Dix-huit, vingt ans ? Pas plus. Fait-elle des études ? De quel pays vient-elle ?

Du coin de la rue ou du bout du monde?

Elle a la peau mate des Orientales, des traits fins, un air fier, le front dégagé et de longues tresses noires nouées avec un élastique. Il y a en elle un mélange surprenant de vulnérabilité, comme si elle avait peur de déranger ou de gêner, et de résolution têtue. Elle se tourne et me voit. Cela dure quelques secondes, je lui souris, elle baisse la tête, se remet à essuyer. Elle récupère des emballages abandonnés, vide le tout dans la poubelle, passe une éponge sur la tablette. Je lève mon plateau, elle hésite, puis nettoie dessous.

— Il ne faut pas trop frotter, tu vas abîmer.

— Non, je ne frotte pas trop.

— Je plaisante. Tu peux t'arrêter, t'as droit à une pause toutes les quarante-cinq minutes.

Elle me regarde, un peu perdue. Est-ce qu'elle m'a compris?

— Ça fait longtemps que tu bosses ici?

— J'ai commencé aujourd'hui.

— Tu es étudiante?

— On n'a pas le droit de parler aux clients.

Un bon point, qui ne sert à rien. Elle a un léger accent, je ne sais pas d'où.

— Tu fais des études de mathématiques?... Non, de cuisine?

— Je veux apprendre le français.

— D'où tu viens?

Elle ne répond pas, s'éloigne en continuant son travail avec conscience. Non seulement elle bosse comme je n'ai jamais vu, mais elle le fait avec élégance, cette fille pourrait être danseuse, ses gestes sont gracieux,

184

elle est fine, élancée, les pommettes saillantes, avec des yeux noirs en amande.

— Tu t'appelles comment ?

— C'est interdit de parler aux clients.

— C'est vrai, mais c'est moi qui t'adresse la parole. Tu peux me dire ton nom, c'est recommandé d'être sympa avec les clients.

— Je ne veux pas d'ennuis.

— Moi, je m'appelle Paul.

— Paul ?

— Ouais. Et toi ?

Elle allait répondre, quand son visage se crispe. Quatre policiers viennent d'entrer dans le resto, deux en uniforme se postent devant chaque porte et en interdisent la sortie, pendant que deux en civil, et avec un brassard, commencent un contrôle d'identité. Les clients sortent leur portefeuille, présentent leurs papiers sans faire d'histoires. Mon équipière semble paniquée, elle recule et lâche son éponge. Un des policiers me dévisage, la blancheur de mon visage doit le rassurer, il continue son contrôle. Je rejoins la fille, elle a le visage tendu à l'extrême. Effrayée, paniquée même, elle fait un demi-tour sur elle-même, comme si elle cherchait par où s'échapper.

— Ne reste pas là. Viens !

Je lui prends la main, on passe derrière le comptoir, je l'entraîne à l'arrière du resto, il doit forcément y avoir une sortie de secours, elle ne sera peut-être pas gardée. Les employés nous regardent passer sans réagir. On traverse la cuisine. Pas de policier en faction devant la porte. On sort du bâtiment, mais il n'y a pas de rue pour s'enfuir, juste un parking clôturé pour le service.

— Il va falloir passer devant le resto. Ton tablier !

Elle ne réagit pas, ou ne comprend pas. Je lui enlève son uniforme, elle se laisse faire. Je lui prends la main.

— Ne t'inquiète pas. Ils sont occupés, ils ne regardent pas à l'extérieur. On avance tranquille.

On fait le tour de la plate-forme. Le policier en uniforme en faction devant l'entrée nous aperçoit. Il hésite, réalise que nous venons de l'arrière du restaurant, il se dirige vers nous.

— Hep, vous deux.

Il avance rapidement, bloque le passage, s'immobilise devant nous. Il n'a pas l'air méchant. Je sens la main de la fille qui tremble légèrement.

— Vos papiers, s'il vous plaît.

Je fais mine de chercher mon portefeuille à l'intérieur de mon duffle-coat, et soudain, avec mes deux mains, je projette violemment le flic en arrière, il part à la renverse et atterrit dans un bac à fleurs.

— Cours ! Vite !

Je l'entraîne, et on se met à courir. Le flic perd du temps à se relever et à nous repérer. Il n'est pas hyper rapide. On a pris cinquante mètres d'avance. Je jette un coup d'œil derrière moi, on gagne du terrain. Finalement, je cours assez vite. La fille peine, trois mètres derrière moi. Le feu passe au rouge.

— À droite !

Nous traversons l'avenue, de l'autre côté nous passons entre deux voitures, nous montons un escalier en colimaçon, gravissons les marches quatre à quatre. Sur la terrasse, nous nous retournons, le flic s'est arrêté de courir, bloqué par la circulation, il récupère sa respiration. Il fait demi-tour, retourne vers le restaurant, il parle dans son téléphone. Nous débouchons sur la dalle d'un centre commercial fermé à cette heure. Elle marche derrière moi, le souffle court.

— Faut pas traîner, dis-je. S'il prévient ses collègues, on va être mal.

— Je dois y retourner, j'ai laissé mon téléphone dans mon sac, ma veste, mon argent.

— Oublie-les. Tu as des papiers ?

Elle fait non de la tête.

— Il y a ton adresse quelque part ?

— Non, je suis hébergée chez une fille qui bosse au restaurant, et elle m'a demandé de la remplacer pendant…

— Laisse tomber. Il faut quitter très vite le quartier.

Après le centre commercial, nous traversons une cité endormie et remontons une rue à sens unique. Je me retourne sans arrêt, guettant l'arrivée de la police. J'aperçois au loin les lumières bleues d'un gyrophare, on s'accroupit derrière un fourgon. La voiture de police passe au ralenti sans nous repérer. On attend cinq minutes, sans bouger.

— Heureusement, il ne pleut pas.

Elle me sourit, mais elle n'a pas l'air rassurée. On reprend notre marche, aux aguets. Au loin, on aperçoit la silhouette du Stade de France. Un quart d'heure plus tard, nous arrivons devant l'entrée d'une station de métro. Aucun policier à l'horizon. Nous prenons le métro vers Paris.

*

Le quai est désert. Je reste sur mes gardes, des policiers peuvent encore surgir et nous n'aurons aucune possibilité de leur échapper.

— Tu peux retourner chez ton amie ?

— Il n'y a pas de place chez elle. C'était un dépannage pour un jour ou deux. Ses parents ne voulaient pas que je reste.

— D'où tu viens ?

Elle tarde à répondre, me jette des regards inquiets ou perdus, elle ne me fait pas confiance. Le métro arrive, le wagon est à moitié vide. Nous nous asseyons côte à côte sur une banquette.

— Tu n'es pas obligée de parler si tu ne veux pas, tu n'es obligée de rien.

— Je suis arrivée d'Allemagne il y a quelques jours, j'y étais avec mon frère aîné depuis trois mois. Il n'aime pas la vie là-bas, il a décidé de tenter sa chance, il veut absolument passer en Angleterre, mais c'est impossible, on est pris comme dans un piège. J'ai appris qu'il y avait cette amie du pays qui vivait ici, je suis venue, mais il y a eu des problèmes.

— Tu parles bien le français.

— On vivait dans une petite ville en Syrie, pas loin de la frontière libanaise. Là-bas, beaucoup de gens parlent français, mais tout a été détruit.

— Tu vas faire quoi ?

188

— Qu'est-ce que je peux faire ? Je n'ai pas de papiers, pas d'argent. Je vais retrouver mon frère.

— On va chercher une solution. Tu t'appelles comment ?

— Yamina.

*

Ce n'était pas le moment de ramener quelqu'un à la maison, mais je n'avais pas le choix. Si Léna m'avait accordé un sursis, je ne risquais pas grand-chose à essayer. Et puis, il y avait urgence. Nous sommes arrivés dix minutes avant la fin du film du dimanche soir. C'était un mauvais moment, je le reconnais, mais je n'avais pas consulté le programme, j'ignorais qu'il s'agissait d'un film policier, que Léna attendait avec impatience de savoir qui avait tué la fille du député de Midsomer, et pourquoi. Nous allions gâcher la révélation finale. J'ai fait les présentations et expliqué ce qui s'était passé. Ma mère n'écoutait qu'à moitié, un œil rivé sur le téléviseur. Je ne sais pas ce que Léna a détesté le plus, que je lui fasse rater sa soirée télé, que je ramène une fille à la maison, qu'elle soit une réfugiée venue d'on ne sait où, ou que je propose que nous l'hébergions quelques jours, le temps qu'elle puisse se retourner, mais l'addition de ces motifs lui a immédiatement rendu Yamina antipathique.

Et quand elle n'aime pas quelqu'un, cela se lit sur son visage.

— Ça va pas la tête ! Les rues sont pleines de SDF, tu ne les invites pas à dormir à la maison ! Alors, pourquoi elle ?

— Parce qu'elle n'a pas de papiers, pas d'argent, et que dehors, c'est blindé de flics.

— Je peux lui payer l'hôtel. Le petit qui est au coin du boulevard Voltaire, il y aura de la place.

J'ai vu le moment où elle allait la mettre dehors. Sans Stella, je n'y serais pas arrivé. Celle-ci s'est souvenue qu'elle était de gauche et elle a mis son autorité dans la balance.

— Pour une fois, on pourrait participer, tu ne crois pas ? On ne fait rien pour aider ces gens. Quand on voit cette misère effroyable à la télé, ces réfugiés qui fuient les combats, qui sont exploités par les passeurs, les femmes et les enfants qui se noient, cela nous horrifie, nous révolte, toi aussi.

— Évidemment.

— Alors, on va apporter notre contribution. Ce n'est pas grand-chose. On peut l'héberger quelque temps.

— On n'a pas de place. Pas question qu'elle s'installe dans le salon, ça va être le bordel.

— Dans mon bureau, je ne m'en sers pas beaucoup. Au départ, ce devait être une chambre d'amis, non ?

— Oui, mais ce n'est pas une amie. On ne la connaît pas, cette fille.

— Elle n'a pas l'air bien méchante, et de toute évidence, elle a besoin d'aide. Bon sang, Léna, qu'est-ce qui t'arrive ? Avant, tu avais le cœur sur la main.

— Il y a que j'ai envie d'être tranquille chez moi.

— C'est moi qui te demande de faire un effort. Après tout, je suis aussi chez moi.

Léna était coincée. Elle a hésité à déclencher la guerre, et n'a pas voulu passer pour ce qu'elle n'était pas. Elle a tourné la tête vers la télé, qui diffusait le générique de fin.

— Ne vous inquiétez pas, a dit Stella à Yamina. Elle râle mais elle n'est pas méchante. On va vous installer un coin sympa, vous pourrez rester le temps que vous voudrez.

Elle a disparu dans le couloir, Yamina lui a emboîté le pas. À la réflexion, il y avait peut-être quelques arrière-pensées dans la détermination de Stella, elle devait se souvenir de la façon dont Léna avait répondu à sa demande en mariage, c'était une manière de lui renvoyer l'ascenseur.

Léna a un sixième sens pour deviner les choses avant vous.

— Tu es gonflé après ce qui s'est passé la semaine dernière de ramener une fille à la maison. Ne te fais pas d'illusions, je n'ai pas digéré. Et pas oublié. Qu'est-ce que tu as dans la tête avec elle ? Tu n'espères pas la sauter ici, j'espère ?

*

Voilà comment notre cohabitation a commencé.

Pas sous les meilleurs auspices, pas sous les pires non plus. Stella était ravie de son hôte, discrète et serviable. Elle l'a installée dans son bureau, on a monté le lit pliant de la cave et dégagé de la place dans une armoire. Léna ignorait Yamina et ne lui parlait pas. D'après Stella, ce n'était qu'une attitude pour sauver la face, elle était persuadée qu'avec le temps, Léna s'y ferait. D'autant que, dès le lendemain de son arrivée, il y eut un signe encourageant. Yamina avait en tout et pour tout les affaires qu'elle portait sur le dos, et pas question qu'elle passe récupérer celles qu'elle avait chez sa copine, au sujet de laquelle il semblait y avoir une certaine confusion. Stella a suggéré de lui donner de l'argent pour qu'elle aille acheter les vêtements dont elle avait besoin. Léna a dit que c'était une connerie. Yamina et elle faisaient la même taille, et elle avait une montagne de vieilleries qu'elle ne mettait plus. Joignant le geste à la parole, elle a commencé le tri dont elle parlait depuis si longtemps. En un rien de temps, elle a jeté sur le lit une flopée d'habits.

— Merci, merci beaucoup, disait Yamina au fur et à mesure que les fringues s'entassaient.

— Tu vois que ce n'est pas si difficile, a dit Stella.

— De toute façon, il fallait que je fasse de la place dans le placard.

Le partage de la salle de bains a été plus laborieux à organiser ; celle-ci étant petite et encombrée, il n'y avait pas de place pour que Yamina y pose ne serait-ce qu'une brosse à cheveux. Sur les conseils de Stella, elle a retiré ses affaires de l'étagère de Léna avant que celle-ci s'en rende compte et a utilisé une corbeille en osier. Stella lui a indiqué aussi les horaires de Léna, des horaires atypiques il est vrai, et qu'il était préférable de respecter pour éviter les occasions de friction. Mais comme ces horaires étaient atypiques, Léna trouvait souvent la porte de la salle de bains fermée et tapait dessus en râlant jusqu'à son ouverture.

Deux jours après son arrivée chez nous, Yamina m'a demandé de lui rendre un service. Son téléphone portable était resté dans son casier au McDo et, comme elle ne pouvait pas aller le récupérer, elle voulait que je lui en achète un autre avec une carte prépayée. La boutique refusait de lui en vendre un car elle n'avait pas de pièce d'identité à présenter. J'ai proposé de lui prêter mon appareil, mais elle préférait en avoir un à elle, pour communiquer avec son frère, ça avait l'air vital pour elle. Cela m'embêtait un peu mais elle avait un regard paniqué et je n'ai pas pu refuser. On est allé en acheter un, j'ai donné ma carte d'identité, elle a eu son téléphone, elle a payé en espèces. Sur le boulevard, elle m'a remercié, et m'a embrassé sur la joue en disant que j'étais un véritable ami. Yamina téléphonait peu, en général quand on était au resto, et elle allait dehors. Elle recevait rarement des appels, elle s'éloignait alors en mettant la main devant sa bouche. C'était son frère qui l'appelait, elle me donnait des détails comme si je le connaissais, il voulait commencer une nouvelle vie en Angleterre, cherchait un moyen de passage, et elle espérait le rejoindre là-bas.

Très vite, Yamina a pris l'initiative de se rendre utile, en se chargeant du ménage de l'appartement, qui laissait à désirer. On a immédiatement constaté une amélioration dans la cuisine et la salle de bains, qui ont retrouvé des couleurs oubliées, mais Léna n'a pas apprécié qu'on dérange ses affaires. Yamina a fait

les vitres, qui n'avaient pas été nettoyées depuis longtemps, soudain on y a vu plus clair. Yamina a aussi
pris l'habitude de faire les courses ; tout le monde a
trouvé cela pratique, même Léna, jusqu'au jour où
elle a râlé parce qu'elle ne buvait que sa bière brune
belge ; Yamina avait cru bien faire en en achetant une
autre en promo, mais Léna ne buvait pas cette pisse
d'âne.

— Ce n'est pourtant pas difficile à comprendre !

Stella s'est montrée d'une incroyable patience, elle
avait compris que Yamina n'aimait pas raconter son
histoire, aussi ne posait-elle pas de questions directes.
Elle essayait de la mettre à l'aise, mais il y avait toujours un moment où il n'y avait pas de réponse, où
le silence devenait gênant. On avait l'impression
que Yamina se méfiait de nous, qu'elle se retenait de
parler librement, comme si elle ne nous faisait pas
confiance.

Au bout d'une semaine, Stella a pensé qu'il fallait s'occuper des papiers de Yamina. On n'avait
aucune idée du parcours du combattant que cela
pouvait représenter. Surtout que Yamina ne dis-
posait d'aucun document utile. Elle conservait un
vieux passeport syrien qui, après un long séjour
dans l'eau de mer, était gondolé et déchiré, l'encre
délayée et illisible, et la photographie avait disparu.
C'était une pièce d'autant plus inutile qu'il n'était
pas possible d'obtenir la moindre confirmation
des autorités syriennes, qui ne répondent à aucune
demande. Nathalie, l'avocate de Stella, nous a expliqué qu'on n'avait pas le droit d'héberger Yamina si

celle-ci n'avait pas déposé un dossier de demande d'asile, mais qu'elle ne pouvait pas en déposer un, étant entrée illégalement en France et ses empreintes n'ayant pas été relevées lors de son passage de Turquie en Grèce. Après un entretien téléphonique avec son frère, Yamina nous a annoncé qu'elle renonçait à déposer une demande qui serait rejetée à coup sûr et préférait trouver une solution pour passer en Angleterre.

On était navré de cette décision, on a essayé de la faire changer d'avis, en lui expliquant que c'était difficile à dessein, pour décourager les moins déterminés, mais Yamina ne voulait plus entendre parler des formalités. Stella a donc laissé tomber et on s'est installé dans ce statu quo. Avec le risque que cela représentait pour Yamina.

Je passais pas mal de temps avec elle, j'ai proposé de lui faire découvrir des coins sympas, on a traîné dans Paris, dans des quartiers qu'elle ne connaissait pas. Elle est tombée amoureuse de la Contrescarpe, qui lui rappelait une place de son pays, avec une fontaine, des cafés autour et un marché. Elle posait des questions sur Stella et Léna, sur leur vie à toutes les deux ; pour Yamina, c'était comme débarquer en short sur la lune, elle n'arrivait pas à comprendre comment on faisait pour vivre comme une famille.

— Cela ne te dérange pas de voir ta mère avec cette femme ?

— Je les ai toujours vues ensemble. Au contraire, Stella est comme une deuxième mère pour moi. Cela te pose un problème, à toi ?

— Je n'imaginerais jamais ma mère avec une autre femme, cela doit être horrible, non ? Ce n'est pas que deux femmes aient une relation ensemble qui me gêne, c'est qu'elles soient installées comme un couple, dans le même lit, devant leurs enfants. Chez nous, ce serait impossible.

— Quand tu réfléchis, il n'y a pas beaucoup de dif-férence.

— Et les hommes, où sont-ils ? Ton père, qu'est-ce qu'il dit ?

— Je n'en sais rien, je ne l'ai jamais connu. Je ne sais même pas s'il existe. Et toi, là où tu vivais, tu avais quelqu'un dans ta vie, un ami ?

Elle me regardait de son air un peu triste. Elle avait des yeux noirs immenses, et elle ne répondait pas. Elle ne révélait jamais rien sur elle.

Ou des petits morceaux d'un puzzle dont les pièces ne s'emboîtaient pas.

— Tu peux me faire confiance, tu sais, cela restera entre nous.

— Je sais.

Elle savait mais elle ne disait rien.

J'adorais cette fille, l'écouter parler avec son drôle d'accent chantant, la regarder remettre de l'ordre dans ses cheveux, me balader avec elle sur les quais. Tout d'un coup, elle me racontait deux ou trois trucs perso, qu'elle me demandait d'oublier. Elle me posait aussi des questions sur Paris auxquelles je répondais n'importe quoi, et ça la faisait rire. La regarder man-ger était un bonheur ; elle était mince comme une allumette, mettait trois sucres dans son café et, au lieu de déjeuner, elle avalait des gâteaux et des tartes aux fruits, et finissait la mienne. Quand je lui disais qu'elle allait grossir, elle répondait : « Moi, je resterai toujours mince, je ne serai pas comme les autres. »

Parfois, Yamina partait le matin sans dire ce qu'elle ferait de sa journée, on ne savait jamais si on la reverrait, si elle n'allait pas se faire attraper lors d'un contrôle ou partir dans le Nord pour retrouver son frère. Cela posait un problème parce qu'il n'y avait pas toujours quelqu'un à la maison quand elle revenait, elle était obligée d'attendre dans l'escalier ou au bistrot du coin que l'un de nous rentre, Léna ayant refusé mordicus qu'on lui donne un trousseau de clés, et Stella avait compris qu'il ne fallait pas la provoquer sur ce point. Souvent le soir, quand elle trouvait porte close, Yamina nous rejoignait au *Petit Béret*. Elle aurait voulu aider, en cuisine ou derrière le bar, mais Stella refusait, il n'aurait plus manqué qu'elle se fasse prendre en train de travailler au resto. Alors, Yamina s'asseyait sur un tabouret derrière moi, elle m'écoutait jouer toute la soirée et découvrait avec plaisir des musiques qu'elle ne connaissait pas. Le premier soir, elle s'était exclamée :

— Il n'y a aucun homme dans ce restaurant !

— Si, il y a moi. C'est comme ça à Paris, il y a des restaurants où il n'y a que des femmes et d'autres où il n'y a que des hommes.

— C'est bizarre, dans mon pays, les femmes ne vont jamais seules au restaurant.

Un mercredi soir, Yamina a assisté, effarée, à une demi-finale échevelée de Champions League, avec une salle partagée en deux camps de taille équivalente, les rouges du Bayern, contre les blanc et noir de la Juventus, qui s'apostrophaient, se chambraient, et hurlaient à chaque phase de jeu, descendant force pintes de bière, cocktails et boissons corsées. Bien sûr, le Bayern a gagné, comme d'habitude. À la fin du match, j'ai repris du service, j'ai joué *My Serenade*, sa chanson préférée, dans le tohu-bohu et l'indifférence générale, uniquement pour elle, et il s'est produit quelque chose d'unique.

Il y a des clartés dans le regard qui ne trompent pas et, à la façon qu'elle a eue de me dévisager, à son imperceptible sourire, j'ai compris que je ne lui étais pas indifférent et que cette musique magique venait de créer un lien entre nous.

*

On est rentré tous les trois ensemble, il faisait bon, on avait l'impression que ce bonheur durerait toujours. Stella était d'humeur enjouée, elle avait réalisé sa troisième meilleure recette, elle soutenait qu'il y a des clubs qui poussent à faire la fête, et d'autres pas, que le Bayern valait deux fois n'importe quel club français, sauf le PSG bien entendu, mais que pour les cocktails, rien n'égalait le Barça. On a cherché une explication à cette théorie sur la soif sportive, on n'en a pas trouvé.

En arrivant à l'angle du square et de la rue du Général-Blaise, Stella a aperçu un policier en uniforme qui attendait dans l'embrasure de la porte de notre immeuble. Nous nous sommes cachés derrière une camionnette, paniqués, Yamina tremblait et craignait d'être arrêtée par la police, je lui ai dit d'attendre au bistrot au coin du boulevard Voltaire. Elle est partie en se faufilant derrière les voitures.

Avions-nous commis une erreur ? Avait-elle été dénoncée par un voisin ?

Avec Stella, on se demandait si on devait y aller ou pas. Elle pensait que cela ne servait à rien de faire l'autruche et que s'il y avait un problème, mieux valait l'affronter. Une fois devant l'immeuble, le flic nous a demandé qui on était. Quand on lui a donné notre identité, il a prévenu ses collègues par téléphone, puis il nous a accompagnés en nous faisant passer devant lui. On a gravi les cinq étages à pied. Sur le palier, il y avait un autre agent en uniforme, puis un policier en civil est arrivé. On a dû lui montrer nos cartes d'identité. Il n'a répondu à aucune des questions de Stella, et nous a dit de rester sur le palier. Au bout de dix minutes, un policier plus âgé s'est présenté. C'était un commandant. Il nous a informés qu'Hélène Martineau était en garde à vue et qu'ils procédaient à une perquisition de l'appartement.

— Mais pourquoi ?

— Elle a été interpellée dans le cadre d'une affaire de stupéfiants.

Avec Stella, on s'est regardé, sans comprendre.

— Ce n'est pas possible, a murmuré Stella.

— Si, madame, on a trouvé trois cent cinquante grammes de cocaïne dans sa boutique.

Il est rentré dans l'appartement. Stella avait la bouche ouverte, elle secouait la tête en répétant : « Ce n'est pas possible. »

— C'est une erreur, Stella, j'en suis sûr, ai-je réussi à murmurer.

Je me suis approché d'elle, elle m'a serré contre elle, mais le policier en faction sur le palier a avancé son bras pour nous séparer. Le commandant est revenu, nous a fait entrer. L'appartement avait été méthodiquement fouillé et retourné par quatre policiers en civil, les placards, les armoires, les tiroirs avaient été vidés, on avait l'impression qu'un ouragan avait tout jeté par terre. Il y en avait partout sur le sol, les livres de la bibliothèque avaient été examinés un à un, dans la cuisine, les meubles avaient été déplacés, le four, la machine à laver et le réfrigérateur passés au peigne fin. Léna, assise sur une chaise dans le salon, portait des menottes aux poignets, elle regardait fixement devant elle. Stella s'est approchée.

— Léna, que se passe-t-il ?

Un sourire fugitif a traversé son visage.

— Qu'est-ce que tu as fait, Léna ?

Ma mère a secoué la tête, elle a voulu se lever, mais le policier a posé la main sur son épaule pour l'empêcher de se redresser. Elle était blême.

— Je n'ai rien fait, je te jure, je ne comprends pas.

Le commandant a demandé à Stella d'ouvrir le petit coffre-fort qui se trouvait dans l'armoire de leur chambre. Elle pouvait s'y opposer, mais dans ce cas, il appellerait un serrurier. Elle a pris une clé dans son sac à main et l'a donnée à l'officier qui a lui-même ouvert le coffre, mais ce qu'il a trouvé à l'intérieur n'a pas eu l'air de l'intéresser. Il a voulu savoir qui habitait dans la chambre, Stella a répondu que c'étaient des amis de passage. Un policier a rédigé un procès-verbal de perquisition qu'il a fait signer à Léna et à Stella, et ils sont repartis avec Léna, toujours menottée.

*

La garde à vue de Léna a duré quarante-huit heures. Nous avons vécu deux jours et deux nuits en enfer. Immédiatement après leur départ, Stella a contacté son avocate. Heureusement, Nathalie, qui avait assisté au match au restaurant, n'avait pas coupé son portable. Elle allait se renseigner dès la première heure et s'occuper de tout. Stella lui a expliqué pour Yamina. Nathalie a estimé qu'on pouvait la récupérer sans trop de risques.

Vers deux heures du matin, je suis allé la chercher. Le bistrot avait fermé depuis longtemps. Yamina attendait, accroupie dans le renfoncement d'une porte cochère. Elle pensait que la police était à sa recherche, je lui ai raconté ce qui s'était passé. J'ai été surpris de sa première réaction. Alors que Léna ne l'avait pas bien accueillie et que Stella et moi nous posions mille questions sur cette histoire, nous demandant quelle bêtise Léna avait pu faire et doutant de son innocence, elle a immédiatement pris la défense de ma mère, affirmant que c'était impossible d'imaginer qu'elle ait pu participer à un quelconque trafic, et elle nous a remonté le moral. On a passé le reste de la nuit à tout remettre en place et à discuter. Stella, qui est d'un tempérament de fourmi, a soudain décidé de jeter le fatras accumulé depuis des années qui encombrait meubles et tiroirs. On a fait un tas dans l'entrée. Yamina a dit qu'elle connaissait des gens à qui ces objets seraient utiles, Stella lui a dit qu'elle pouvait les prendre.

Dans la matinée, nous sommes allés au commissariat, mais aucune information n'est fournie aux proches, et ils n'ont pas voulu nous laisser entrer, ni voir Léna. Stella s'est énervée parce que Nathalie était toujours sur messagerie. En fin de journée, cette dernière a appelé, elle avait pu s'entretenir avec Léna et avoir accès au dossier. On l'a retrouvée dans un bistrot en bas de son cabinet. Léna se trouvait mêlée à un trafic de drogue ; la police avait débarqué au *Studio* et avait trouvé trois cent cinquante grammes de cocaïne dans un sac en cuir rangé sous la caisse. Léna affirmait qu'elle en ignorait tout, que c'était une cliente prénommée Rosy, qu'elle connaissait depuis longtemps, qui lui avait demandé de garder ce sac quelques jours car elle devait partir à l'étranger, et Léna, sans vérifier son contenu, avait accepté pour lui rendre service. Judith avait confirmé cette version. Malheureusement, la Rosy en question était dans le collimateur de la police ; elle servait de mule et avait un casier long comme le bras. Le problème, c'est que ma mère avait une vieille condamnation non amnistiée sur son casier pour trafic et usage, dont je n'avais jamais entendu parler et qui aujourd'hui était du plus mauvais effet. Le rapport d'enquête affirmait même que le *Studio* était défavorablement connu des services de police. Une confrontation devait avoir lieu le lendemain matin avec Rosy, qui avait été arrêtée gare du Nord avec cinquante grammes de coke sur elle. Léna gardait le moral, bataillait pied à pied avec la police. Nathalie lui avait toutefois conseillé d'être moins agressive et de ne plus insulter les enquêteurs.

Au *Petit Béret*, ce fut une soirée bizarre, Nathalie avait recommandé de ne rien dire tant qu'on ne serait pas fixé, alors nous avons sauvé les apparences. Il a fallu sourire, être aimable et plaisanter avec les clientes, même si on n'en avait pas du tout envie. J'ai joué comme un piano mécanique, personne ne s'en est rendu compte. Yamina nous a rejoints avant la fermeture, nous sommes revenus ensemble. Léna était au centre de nos pensées, on se demandait comment elle vivait cette garde à vue, mais on n'en a pas parlé, c'était inutile, on avait l'impression qu'une grille s'était refermée sur nous et qu'on était prisonniers aussi. Quand on est rentré, on a constaté que Yamina avait débarrassé l'appartement de ce que Stella avait décidé de jeter.

Le lendemain matin, Nathalie a prié Stella d'arrêter de lui téléphoner toutes les cinq minutes pour lui demander s'il y avait du nouveau, elle a promis de nous faire signe quand elle aurait du concret. Il a fallu nous morfondre jusqu'en milieu d'après-midi, à tourner en rond et à broyer du noir, avant de recevoir son appel. La confrontation s'était déroulée le mieux possible, Rosy avait confirmé la version de Léna et, surtout, la police n'avait pas trouvé les empreintes de Léna sur le sac en cuir. Léna allait être présentée à un juge d'instruction qui déciderait ou pas de procéder à son inculpation et, dans l'affirmative, si elle serait incarcérée ou remise en liberté. Finalement, Léna a été inculpée de complicité de trafic et de détention de stupéfiants, mais elle a été laissée en liberté sous contrôle judiciaire, avec interdiction de rencontrer les autres protagonistes du dossier et de communiquer avec eux. D'après Nathalie, le juge avait été correct; il restait un tas de vérifications à faire, c'était normal qu'en l'état du dossier elle soit inculpée. Elle espérait obtenir un non-lieu à la fin de la procédure, quand toutes les investigations auraient confirmé l'innocence de Léna. Cette dernière s'en tirait bien. Le seul problème, et il était de taille, c'est que le juge avait ordonné la fermeture administrative du *Studio*, fait poser les scellés sur la porte, et que Léna était au chômage technique pour une durée indéterminée.

*

On est allé chercher Léna au commissariat du XIe, où elle avait été ramenée après son audition. Avec Stella, on a attendu en terrasse dans un troquet avenue Ledru-Rollin pendant deux heures. Yamina a proposé de se joindre à nous, mais Stella a pensé que ce serait inutile qu'elle prenne le risque de se pointer dans les parages, et elle avait raison, à en juger par le nombre de policiers qui venaient boire un verre ou manger un morceau dans ce bistrot. En voyant l'heure qui filait,

Stella s'est résolue à appeler *Le Petit Béret* pour prévenir qu'on ne viendrait bosser ni l'un ni l'autre ce soir-là. Léna a fini par apparaître, accompagnée de Nathalie ; elle avait les yeux cernés et les traits tirés de quelqu'un qui n'a pas dormi depuis longtemps. Elle s'est assise face à Stella, tête baissée, perdue dans ses pensées.

— Comment vas-tu ? a demandé Stella.

Ma mère n'a pas répondu. Avait-elle entendu ? On a interrogé Nathalie du regard, elle nous a fait comprendre qu'il fallait attendre. Le garçon est venu prendre notre commande, il a interrogé Léna :

— Vous désirez quoi, madame ?

Elle a levé la tête.

— Heu, j'ai soif, un grand perroquet.

— Tu devrais manger quelque chose, a dit Stella.

Léna a fait non de la tête. Le serveur s'est éloigné. Léna a pris une cigarette dans mon paquet et l'a allumée. Elle a inspiré profondément la fumée, elle a fermé les yeux et a eu l'air apaisée. Un sourire forcé est apparu sur son visage. Soudain, elle a été prise d'une violente quinte de toux qui l'a secouée et qui ne passait pas. Nathalie a rempli un verre d'eau, le lui a donné à boire, la toux s'est calmée, mais elle a continué à hoqueter pendant un moment. On est retourné à pied à la maison. Léna n'a pas dit un mot, on n'a posé aucune question, elle semblait éteinte de l'intérieur, avançait à petits pas, les épaules rentrées, en continuant à tousser par moments. Au bas de l'immeuble, on a aperçu Alex qui faisait les cent pas. Léna l'a pris dans ses bras, l'a embrassé, elle l'a félicité d'avoir eu son bac avec des notes pareilles et a demandé à deux reprises pourquoi on ne le voyait plus à la maison.

Yamina avait préparé un peu de cuisine, des mezze de son pays. On s'est mis autour de la table, mais Léna n'a pas touché à son assiette, elle était absente. Elle est sortie de sa léthargie quand Stella a débouché une bouteille de bordeaux, elle a tendu son verre pour qu'elle le remplisse, puis elle l'a vidé lentement et a poussé un soupir de soulagement. Elle a demandé à Stella de la resservir et mis les mains autour de son verre comme pour le protéger. On a interrogé Nathalie. D'après elle, il n'y avait pas grand-chose de sérieux contre Léna, mais les investigations risquaient d'être longues car son affaire s'inscrivait dans un dossier plus important qui concernait une vingtaine de personnes, et la police chercherait à prouver son implication dans le réseau. Léna devait s'attendre à un examen minutieux de ses comptes bancaires et de son train de vie.

— Ils vont être déçus, a dit Stella.

La conversation s'animait, on discutait de cette affaire, on la commentait, mais il y avait quelque chose d'incongru dans nos échanges, car la principale intéressée n'y participait pas. On parlait d'elle, de ce qui lui était arrivé, de ce qui risquait de lui arriver, mais cela ne suscitait aucune réaction chez elle, comme si elle n'était pas concernée. Stella regardait Léna, qui ne regardait personne. Elle hésitait à dire quoi que ce soit, il y avait trop de monde autour de la table. Nathalie a félicité Yamina pour ses plats qui avaient eu beaucoup de succès.

— Ce sont les recettes de ma mère. Moi, à côté, je ne fais pas bien la cuisine.

— Où se trouve-t-elle actuellement? a demandé l'avocate.

— Ce n'est pas le moment d'en parler, a répondu Yamina.

— Tu n'as rien mangé, a dit Stella à Léna, tu devrais goûter, c'est délicieux.

Léna n'a pas répondu.

*

Dans la nuit, un cri m'a tiré de mon sommeil. Mais j'avais peut-être rêvé. Je me suis dressé dans mon lit, aux aguets, j'ai entendu un bruit de voix venant de la chambre d'amis. Je me suis précipité. Léna avait l'air épuisée. Yamina avait crié en sentant quelqu'un s'asseoir, elle serrait la couette contre elle.

— Qui êtes-vous? demandait Léna à Yamina. Que faites-vous ici?

— C'est Yamina, ai-je répondu pour elle. Elle dort chez nous. Tu ne t'en souviens plus?

— Non, enfin vaguement.

Stella est arrivée, elle était en pyjama.

— Viens te coucher, voyons.

— Je n'ai pas sommeil.

— Il est tard Léna, tout le monde est fatigué. Les derniers jours ont été difficiles pour nous aussi. Viens te recoucher, et le sommeil viendra.

— Non, je vais aller faire un tour.

— Il est quatre heures et demie du matin.

— Je vais aller au *Studio*. J'ai des choses à faire.

On ne sait pas trop si c'était la fatigue ou autre chose, mais Léna semblait avoir des absences, des trous de mémoire inquiétants. Nathalie lui avait pourtant expliqué la fermeture administrative de sa boutique. Il a fallu que Stella recommence. Léna a eu l'air de douter, puis la mémoire a dû lui revenir.

— D'accord, mais ce n'est pas la peine de me parler comme si j'étais une enfant.

Cet épisode a marqué le début d'une période bizarre, avec Léna qui perdait les pédales, qui traînait dans l'appartement sans rien faire, restant des heures vautrée dans le canapé rouge, immobile, et quand on lui demandait à quoi elle pensait, elle ne répondait pas. Elle passait son temps devant la télé à regarder des séries débiles, puis sortait sans qu'on sache trop où elle allait. Très vite, on a remarqué qu'elle buvait tout ce qui lui tombait sous la main, sans se cacher, et quand Stella a essayé de la raisonner, elle n'a rien dit. Et c'est ce silence qui nous inquiétait le plus. Avant, elle aurait démarré au quart de tour, à la moindre remarque de ce genre, elle nous aurait envoyés péter, maintenant elle ne réagissait plus. Elle n'était plus jamais irascible, elle se taisait ou elle hochait la tête, et nos paroles glissaient sur elle sans produire d'effet. Stella a fait le vide, on a descendu à la cave toutes les bouteilles de vin et d'alcool. Léna n'a pas demandé où elles étaient passées. Et puis, on l'a vue revenir les yeux brillants et l'haleine chargée, la démarche hésitante, un sourire coincé aux lèvres. Elle allait picoler au bistrot du coin. Elle pouvait ingurgiter un nombre considérable de verres de rhum ou de calva. On a demandé leur aide aux patrons du coin. Un ou deux verres, pas plus. Quand on lui refusait, Léna ne protestait pas, elle allait plus loin ; elle finissait en mauvais état, sur un banc, à trinquer avec les SDF du quartier. À plusieurs reprises, on est parti à sa recherche, chacun dans une direction, on la retrouvait dans un rade à la République ou vers la Roquette, ou on ne la retrouvait pas.

On ne savait plus quoi faire pour l'aider.

C'est Mélanie qui a mis un nom sur ce dont souffrait Léna. Elle était entrée en dépression. Sans prévenir. Elle était passée de l'autre côté, comme si elle avait pénétré dans un territoire inconnu, franchissant une frontière invisible, et qu'elle s'était éloignée de nous. On aurait dû s'en douter, mais ni Stella ni moi n'avions voulu le formuler. Ou peut-être que l'idée que Léna fasse une dépression était tellement inconcevable quand on la connaissait un peu qu'on était passé à côté. D'après Mélanie, on accumulait les erreurs, et on perdait beaucoup de temps avant d'intervenir. Pour cela, il fallait d'abord que Léna en prenne conscience, veuille s'en sortir, fasse la démarche, et s'accroche.

Elle n'était pas dans cet état d'esprit.

Stella a abordé la question, lui disant que ce serait bien qu'elle voie quelqu'un qui puisse l'aider dans la période difficile qu'elle traversait. Léna n'a rien dit. On a cru qu'elle ne refusait pas. Quand Stella a proposé qu'elle consulte un thérapeute que Mélanie connaissait, elle a répondu qu'elle n'était pas folle, qu'elle n'avait pas le moral c'est tout, que ce n'était pas une raison pour prendre des médocs. Ou alors tout le monde devrait y passer régulièrement. On ne pouvait pas l'obliger, simplement l'entourer et la soutenir dans cette mauvaise passe, en espérant qu'à un moment, un déclic se produirait qui l'amènerait à se faire soigner.

— Ne vous inquiétez pas, disait-elle, je vais remonter la pente. Je suis fatiguée, il faut que je me repose, et ça va repartir. J'ai déjà eu des coups de déprime, et je m'en suis sortie sans toubib.

On s'est installé dans cet état bancal et foireux, mais on n'avait pas d'autre solution. Stella a proposé qu'elles partent toutes les deux en vacances une semaine en Bretagne, ou en Corse, mais Léna a dit : «Je n'ai pas envie.» Pourtant, elles ne pouvaient pas aller ailleurs. Son contrôle judiciaire lui interdisait de quitter le territoire, et elle devait se présenter une fois par semaine au commissariat. D'après Nathalie, l'enquête avançait, sans qu'on sache dans quelle direction; il fallait attendre que les investigations en cours aboutissent, mais cela pouvait prendre des mois. Sur les conseils de Mélanie, Stella a organisé une sorte de garde tournante pour éviter qu'elle boive. Le matin, je restais avec elle, puis Stella s'en occupait. L'après-midi, Judith, qui était au chômage technique, venait à la maison, elles regardaient *Inspecteur Derrick*, puis elles jouaient à la PlayStation, ensuite Yamina prenait la relève. Cette dernière aurait aimé que Léna l'aide un peu à faire la cuisine, mais ma mère refusait de participer. Souvent, elles venaient ensemble au *Petit Béret* et y passaient la soirée. Ou elles restaient à la maison, parce qu'il y avait une série policière que Léna ne voulait pas rater, c'était la seule chose qui l'intéressait.

Alors on ne disait rien.

Au resto, Léna ne buvait pas d'alcool, dans la journée non plus, on avait l'impression qu'elle avait meilleure mine, qu'on était sur la bonne voie. Pourtant, deux-trois détails auraient dû nous alerter. Des copines sont venues lui proposer d'aller faire un tour en Harley. Avant, elle se serait précipitée, mais elle a dit qu'elle n'en avait pas envie. Par contre, quand une amie a demandé qu'elle lui prête sa bécane, elle a répondu : « Non, pas question ! » Léna n'écoutait plus jamais de musique à tue-tête ; les voisins ont dû apprécier le changement. Elle avait branché un casque sur son smartphone, il restait posé toute la journée sur ses oreilles. Elle fermait les yeux, elle se laissait aller, on voyait sa tête qui bougeait en rythme, parfois ses lèvres murmuraient des paroles inconnues, on se disait que c'était une bonne chose. On lui parlait, elle n'entendait pas, il fallait lui demander d'ôter ses écouteurs, et ce qu'on disait avait toujours l'air de l'ennuyer, jusqu'à ce qu'elle remette son casque et retourne dans son monde.

Un après-midi, on était assis chacun à un bout du canapé rouge. Léna écoutait de la musique, et de mon côté, je répétais des chansons d'un vieux groupe anglais en suivant la partition sur ma tablette. De temps en temps, je jetais un coup d'œil. Elle avait les yeux fermés, ses lèvres tremblaient, comme si elle chantait de l'intérieur. J'ai hésité à lui demander ce qu'elle écoutait, je ne voulais pas la déranger. Stella est apparue et lui a posé la main sur l'épaule : Nathalie la demandait au téléphone. Léna a ôté son casque et a suivi Stella dans l'entrée. J'ai attrapé son smartphone pour savoir ce qu'elle écoutait, j'aurais pu regarder la liste, mais j'ai mis son casque sur mes oreilles. J'ai appuyé sur start. Et j'ai failli tomber du canapé. Léna écoutait *Puisque tu pars*.

J'ai eu la chair de poule.

Ses goûts se sont mis à changer. Avant, ce que je jouais, c'était soit de la soupe, soit de la daube. Je me fichais de ses remarques comme de mon premier CD. J'avais toujours détesté le hard rock qu'elle avalait à longueur de journée. Quelques semaines auparavant, j'avais découvert les Kinks, j'étais tombé raide dingue de leur musique, que j'avais adaptée à ma manière. Un soir, j'ai osé une interprétation très aérienne de *Sunny Afternoon*, enchaînant avec une version jazzy de *A Well Respected Man*. Léna était assise au bar, elle a levé la tête, enlevé son casque, elle est venue à côté de moi, elle m'a écouté avec la plus grande attention, et visiblement avec un réel plaisir. Elle a fait un effort pour se souvenir des noms, ce n'est pas revenu.

— C'est quoi cette ziquette, déjà ?

Je le lui ai dit. Elle s'est assise sur une chaise à côté de moi.

— Ils n'étaient pas si mal…, a-t-elle dit.

J'étais surpris qu'elle accorde autant de crédit aux Kinks. Elle aurait dû les détester, eux et ce qu'ils représentaient.

— Tu joues sans partition ?

J'ai fait oui de la tête.

212

— C'est quoi ton morceau préféré ?

J'ai attaqué *In the Mood for Love*. Ce n'est pas pour me jeter des fleurs, mais je l'ai joué comme Bryan, pédale droite à fond, insistant un peu sur les accords main gauche, les sons se sont enroulés, le piano résonnait comme jamais, effet concert garanti. Plusieurs clientes ont levé la tête et ont prêté l'oreille, charmées. D'habitude, je n'utilise pas ces trucs, je ne suis pas là pour faire l'artiste, juste l'ambiance, mais pour une fois qu'elle était là, je ne l'ai pas ratée. Je n'ai pas résisté à la tentation de bisser, j'aurais souhaité que cette harmonie dure toujours. J'ai failli chanter, mais je n'ai pas voulu rompre le charme, j'ai fermé les yeux. Je n'avais pas besoin de regarder pour savoir qu'elle écoutait.

*

Un midi, Léna n'est pas apparue pour le déjeuner. Chez nous, on n'avait jamais attaché d'importance aux repas, sauf le dimanche. En semaine, c'était toujours des allées et venues aléatoires, et le soir on dînait au *Petit Béret*. Depuis l'interpellation de Léna, comme elle était toujours à la maison, le déjeuner était devenu un moment où on se retrouvait ; le matin j'accompagnais Yamina au marché, ensuite elle préparait le repas.

Ça ressemblait à une vie de famille.

Léna descendait prendre un café au bistrot du coin, elle lisait le journal et revenait à l'heure. Ce jour-là, on ne l'a pas vue. En attendant, on a regardé le journal télévisé ; au générique de fin, Stella a donné le signal, on est parti à sa recherche. Yamina est venue avec nous. Les patrons des troquets des environs ne l'avaient pas vue. Avec Stella, on s'est réparti le territoire, elle se dirigerait vers la République, et moi j'irais vers Voltaire, puis je redescendrais vers la Bastille. Comme il y avait une grande concentration de cafés dans mon secteur, Yamina m'a accompagné. Nous avons arpenté chacun un côté du boulevard, entrant dans tous les bistrots, mais Léna restait invisible. Arrivé à la mairie du XIe, j'ai hésité, peut-être valait-il mieux nous séparer, que Yamina remonte vers le Père-Lachaise, pendant que je continuerais vers la Bastille. Personne ne pouvait prédire dans quelle direction il fallait s'orienter, mais cela avait l'air de gêner Yamina de chercher Léna seule. On a suivi la rue de la Roquette, personne ne l'avait aperçue. Sur le coup de trois heures, on s'est retrouvé place de la Bastille, on avait vérifié tous les bistrots sans la voir. J'ai appelé Stella, qui arrivait seulement à la porte Saint-Martin. Elle était crevée et rentrait à la maison. Avec Yamina, on a acheté des paninis, on s'est installé sur le quai de l'Arsenal. Il faisait bon, il y avait plein de gens qui pique-niquaient sur les berges. Un guitariste barbu avec un stetson trop grand jouait du picking avec élégance, il y avait un attroupement autour de lui. On a mangé nos sandwichs en l'écoutant. Elle n'avait jamais entendu cette musique céleste, je lui ai expliqué qu'il jouait main droite – main gauche en même temps, que c'était une technique acoustique difficile à attraper, j'ai évoqué

Merle Travis et Chet Atkins, mais comme ça ne sert à rien de parler de compositeurs inconnus, j'ai sorti mon smartphone pour enregistrer, et je n'ai pas résisté, j'ai photographié Yamina ; pendant qu'elle regardait le musicien, elle s'abandonnait complètement à la mélodie, elle était magnifique. Quand elle s'en est rendu compte, elle a levé la main devant l'appareil pour que j'arrête.

Je dois ajouter, et tant pis si je me répète, que Yamina était une fille incroyablement séduisante, avec une apparence de fragilité et de réserve qui m'attirait, des gestes délicats et un sourire un peu triste. Je ne savais pas grand-chose sur elle, à part ce qu'elle avait bien voulu révéler, mais parfois elle se contredisait. Je me gardais de relever, je n'avais pas envie d'avoir l'air de l'interroger, je me disais qu'il fallait du temps pour créer de la confiance entre deux étrangers, qu'elle avait été obligée de fuir son pays dans des conditions épouvantables, qu'elle avait traversé des épreuves terribles, abandonnant son frère et ses proches, qu'elle avait devant elle un avenir confus et que je ne pouvais pas lui reprocher de se tenir sur ses gardes, qu'elle se protégeait comme elle pouvait dans cet environnement hostile. Je sentais aussi, à la manière qu'elle avait de me regarder, qu'une certaine complicité s'instaurait progressivement et qu'une réelle amitié était en train de naître entre nous.

— Tu t'inquiètes pour ta mère ? a-t-elle demandé.

— Quand on rentrera, elle sera là certainement. Ce n'est pas facile pour elle en ce moment, on ne peut pas faire grand-chose pour l'aider.

— Elle devrait se faire soigner.

— Elle ne veut pas, on ne peut pas la forcer. Quand elle pourra retravailler, ça ira mieux. Et toi, comment tu te sens maintenant ?

— J'ai eu des nouvelles de mon frère. Par une amie qu'il a contactée. Il a trouvé une solution pour passer en Angleterre, mais ça coûte cher. Il faudrait que je travaille pour lui envoyer de l'argent. Après, je pourrai le rejoindre.

— Stella ne voudra jamais que tu travailles au resto tant que tu n'es pas en règle. C'est trop risqué s'il y a un contrôle, et il y en a souvent en ce moment. Tu sais, j'ai un peu de pognon de côté, pas grand-chose, mais moi je n'ai besoin de rien, alors si ça peut t'aider…

— Tu as dix mille euros ?

— Pourquoi autant d'argent ?

— C'est le coût du passage avec une combine sûre, en passant par la Hollande, mais c'est ce prix-là, pour nous deux. On n'a pas le choix.

J'ai regardé autour de nous, il n'y avait personne d'inquiétant. J'ai roulé un joint, j'ai tiré une taffe, je le lui ai passé. Elle l'a pris, a inspiré profondément, en fermant les yeux. On a fumé peinards, j'ai jeté le bout de mégot dans le canal. Je me suis mis debout, je lui ai tendu la main pour l'aider à se lever. On s'est retrouvé proches l'un de l'autre. Je l'ai attirée vers moi, cherchant ses lèvres, j'ai senti une résistance, elle m'a repoussé gentiment et a secoué la tête.

— Ce n'est pas possible, Paul, il y a quelqu'un dans ma vie.

*

Depuis quelques jours, Alex n'arrêtait pas de m'envoyer des textos, il fallait qu'on se voie, c'était urgent, je répondais : «Plus tard, avec Léna, c'est pas la joie en ce moment.» J'étais certain qu'il allait encore me proposer de louer un appart avec lui ou qu'on parte en vacances, mais il m'a dit qu'il voulait me présenter son copain, que c'était important pour lui d'avoir mon avis. On s'est donné rendez-vous dans un bistrot de la Bastille, j'étais curieux de découvrir la tête de l'heureux élu. Quand je suis arrivé, Alex attendait seul en terrasse, il m'a demandé des nouvelles de Léna, on a parlé de choses et d'autres, puis son copain est arrivé. Pour une raison mystérieuse, j'étais persuadé que ce type serait âgé, j'imaginais Alex avec un homme expérimenté, de quarante ans ou plus, aux tempes argentées et aux manières un peu précieuses. J'ai été surpris de découvrir un garçon de notre âge, un peu baraqué, aux cheveux longs en catogan. Son visage ne m'était pas inconnu, mais j'étais incapable de mettre un nom dessus.

— Tu ne me reconnais pas? a-t-il dit en s'asseyant sur la banquette, à côté d'Alex.

— Je cherche, mais je dois être fatigué, je me souviens plus.

— C'est Jason… Jason Rousseau, a dit Alex d'une voix hésitante.

Celles qui sont attentives à ce récit depuis le début se souviendront probablement de la petite raclure qui m'avait insulté, tabassé et terrorisé pendant des années, me traitant de pédé, de fiotte et autres substantifs charmants parce que je n'étais pas comme les autres. C'est lui aussi qui m'avait dégoûté à jamais de l'école que j'avais fuie à cause de lui, pour avoir la paix et ne plus le subir, lui et ses potes. Il faut croire qu'on n'en finit jamais avec ses démons, ils reviennent tôt ou tard vous croquer les doigts de pieds.

Par la suite, j'avais croisé deux-trois fois Rousseau, c'était le fils du boulanger de la rue Saint-Ambroise, de temps à autre il se rendait utile en servant à la boutique, et pour ne plus le rencontrer, j'allais à la boulangerie du boulevard Voltaire; depuis des années je ne l'avais plus revu, je l'avais zappé. Maintenant, il était là, souriant, en face de moi, sa coiffure en brosse métamorphosée en houppette à la Tintin, je ne me souvenais pas qu'il avait les cheveux si clairs. Alex a posé sa main sur la sienne, ils se sont souri comme des tourtereaux.

Franchement, je ne savais pas quoi faire.

Est-ce que je devais me lever et partir? Lui coller une baffe? Lui balancer à la figure mon verre de Coca Light rondelle?

Mais face à ce type que j'avais haï plus que tout, que trois ans auparavant j'aurais étranglé avec plaisir, je restais sans réaction. Normalement, j'aurais dû être rancunier et vindicatif, lui cracher ma répulsion au visage, balancer en même temps mon mépris à Alex, fustiger sa trahison, son reniement, et tous les synonymes qui vont avec.

Que reste-t-il de nous, si on ne peut même plus compter sur notre propre haine ?

En vérité, je m'en foutais complètement, comme si cela avait concerné un autre crétin que moi. Je n'avais pas pardonné, pire, j'avais oublié. Alors, je l'ai joué grand seigneur.

— C'est marrant de se revoir aujourd'hui, ai-je commencé.

— Pour tout te dire, Alex était persuadé que tu prendrais mal notre relation.

— Pourquoi ? Le temps a passé. On a grandi, non ?

— Ah, tu vois, je t'avais dit, a lancé Rousseau à Alex.

— Paul, tu m'épates, a dit ce dernier.

Rousseau avait quitté le lycée peu après moi et avait passé un CAP de boulanger-pâtissier. Il travaillait avec son père, et bientôt il serait associé avec lui, ils avaient un projet d'agrandissement : ils voulaient ouvrir un salon de thé, envisageaient de reprendre le magasin de chaussures attenant qui venait de fermer, mais ils avaient un problème d'autorisation pour faire communiquer les deux locaux.

— Et toi, tu es musicien ? a-t-il demandé.

— Non, je suis juste pianiste dans un restaurant.

— Un soir, on viendra t'écouter. Je suis happy que tu ne m'en veuilles pas. C'était des conneries de mômes.

— Si tu ne m'avais pas autant pourri la vie, j'aurais continué le lycée, j'aurais été obligé de faire des études, je ne sais pas ce que je serais devenu. Non, finalement, tu m'as rendu service.

*

Tous ceux qui ont fréquenté Léna vous le confirmeront. Son état s'est amélioré lentement, chaque jour cela se sentait. Elle ne faisait peut-être pas des claquettes, mais il y avait plein de détails qui montraient qu'elle remontait la pente. Elle se nourrissait un peu mieux, buvait un peu moins, même si elle fumait toujours autant. Elle toussait parfois à en pleurer, mais elle avait envie de réduire sa consommation quotidienne de nicotine, et voulait essayer les patchs pour arrêter.

Surtout, elle recommençait à râler.

Nathalie en a fait les frais la première. Léna estimait que son affaire traînait, qu'elle était impliquée dans quelque chose qui ne la concernait pas, que la fermeture du *Studio* n'était pas justifiée et que son avocate ne se bougeait pas assez le cul pour la défendre. Léna voulait aller trouver cet *empaffé* de juge pour plaider sa cause. On a eu le plus grand mal à l'en dissuader. Indépendamment du fond de l'affaire, on interprétait le fait qu'elle vitupère à nouveau comme une promesse de guérison. Et puis elle s'éteignait aussi vite, on s'inquiétait d'une rechute, et ça repartait deux jours plus tard.

Ce qui a changé aussi, c'est qu'on a commencé à se parler. Mélanie s'est révélée d'une grande aide, elle passait à la maison ou au resto et discutait avec elle pendant des heures sans qu'on arrive à savoir ce qu'elles se racontaient, mais, de toute évidence, ces entretiens lui faisaient du bien.

Un soir, Léna est venue nous trouver après la fermeture et, tout d'un coup, a sorti qu'elle se reprochait de m'avoir empêché de m'inscrire au conservatoire municipal quand j'étais môme, elle ne pouvait pas savoir que j'étais doué, elle se disait que c'était dommage, que j'aurais pu aller plus loin. Elle voulait que je prenne des cours, elle a proposé de m'en payer. Avec Stella, on n'en revenait pas. C'était la première fois de sa vie qu'elle formulait un regret. Je lui ai expliqué que c'était trop tard, on ne pouvait pas rattraper les années perdues, de toute façon je n'étais pas assez doué pour devenir concertiste, et puis j'aimais vraiment ce que je faisais au resto, et je n'avais pas l'intention de faire autre chose.

Un autre soir, elle était accrochée au bar, la serveuse m'a appelé au secours, car Léna lui avait demandé de laisser la bouteille de whisky sur le comptoir. Et elle descendait godet sur godet. Je me suis perché sur un tabouret à côté d'elle. Elle avait le regard huileux des alcoolos avant qu'ils dévissent, quand ils sont sur le point d'ouvrir la bonde et de lâcher la nausée qui se tapit au fond de leur cœur. J'ai fait celui qui ne voyait pas qu'elle était mal barrée. J'ai attrapé la bouteille, je m'en suis servi un verre, et l'ai éloignée d'elle.

— Sais-tu ce qui est le pire ? a-t-elle demandé d'une voix hasardeuse.

J'ai fait non de la tête.

— C'est de se faire baiser.

Elle a vu que je ne comprenais pas.

— Cette fille, tu vois, je la connaissais bien, enfin, c'était une vieille copine, jamais je n'aurais imaginé une seconde qu'elle puisse me prendre pour la reine des connes à qui on peut jouer un coup de salope pareil parce que ce n'est rien qu'une bille, tu comprends ? C'est cela qui me tue. D'avoir été trahie par cette pute. Tu te rends compte ? On ne peut plus faire confiance à personne.

Léna a fini son verre, a respiré profondément. Elle avait la larme à l'œil, et soudain, elle a été prise d'une terrible quinte de toux qui l'a secouée comme un pantin désarticulé. Elle n'arrivait plus à s'arrêter, je lui tapais dans le dos. J'ai cru qu'elle allait s'étouffer. La serveuse lui a donné un verre d'eau. Elle a réussi à en boire un peu. Elle a fini par s'arrêter. Elle avait le souffle court et paraissait cassée en deux.

Une semaine avant mon anniversaire, elle est venue me trouver et m'a dit qu'il ne fallait pas que je m'inquiète. Je pouvais rester à la maison. Elle s'était fait une raison. Ce n'était pas ça le plus grave.

— C'est quoi le plus grave ? ai-je demandé.

Elle m'a regardé et a failli répondre, j'ai bien vu qu'elle hésitait, qu'elle retenait les mots qui allaient venir, j'ai attendu, mais elle n'a rien dit.

*

Depuis quelques jours, Stella avait une idée fixe, elle voulait organiser une fête un peu originale pour mon anniversaire, quelque chose de marquant pour célébrer ma majorité et ma réconciliation avec Léna, mais elle ne savait pas quoi. Elle avait essayé d'en parler avec ma mère mais celle-ci avait été évasive. Stella avait insisté, Léna avait répondu qu'elle n'avait pas la tête aux réjouissances en ce moment. La fermeture du *Studio* commençait à peser lourd, son dossier s'enlisait sans que son avocate réussisse à accélérer la procédure, elle avait l'impression de s'enfoncer dans des sables mouvants.

Nous revenions tous les deux à pied du resto, il faisait bon, Stella passait en revue les différentes possibilités qui s'offraient à nous, elle avait pensé à un dîner à la tour Eiffel ou sur un bateau-mouche, ou quelque chose dans le genre, qu'elles n'avaient jamais fait.

— On pourrait aller au *Lido*, ou au *Moulin-Rouge*, ce serait marrant, proposa Stella.

— Tu trouves ça marrant ?

— Et une comédie musicale ? Si on allait voir une comédie musicale ? On ne fait jamais rien.

— Moi, je veux bien, mais je ne suis pas sûr que ce soit son truc.

— Et si on allait au concert tous ensemble ? Je peux avoir des places pour McCartney.

— Ah oui, ce serait bien. Mais est-ce qu'elle voudra y aller ? Ce n'est pas trop sa tasse de thé.

— Léna a changé, tu sais. Elle a pris un grand coup dans la figure, elle est plus souple qu'avant, et puis, c'est un spectacle, une sortie pour ton anniversaire, ce n'est pas un gros effort. Oui, McCartney, ce n'est pas mal. Je trouve qu'elle va mieux depuis quelque temps, elle recommence à rire, et à râler, c'est bon signe. Je suis sûre que si elle pouvait retravailler, ça repartirait comme avant. Demain, j'appelle Nathalie pour la bouger un peu. Il faut qu'elle obtienne du juge la réouverture du *Studio*.

Quand on est arrivé à la maison, l'appartement était fermé de l'extérieur, et dans le noir.

— Tiens, elles sont sorties, a dit Stella.

En entrant dans le salon, j'ai tout de suite repéré le carton posé contre le vase, il y avait trois lignes griffonnées dessus, de l'écriture penchée de Léna. Stella l'a pris, l'a lu, elle m'a fixé d'un regard vide et me l'a tendu :

Stella,

Je ne sais pas trop comment te l'annoncer, mais je pars avec Yamina. Je suis désolée. Ce n'est pas ce que je voulais. Je t'embrasse.

Léna

J'ai dû faire un effort pour comprendre ce que je venais de lire, je n'arrivais pas à le croire, tellement cela paraissait extravagant. Stella s'est laissée tomber sur une chaise, elle avait les épaules basses, les yeux exorbités et la bouche ouverte, j'ai posé la main sur son épaule.

— C'est une blague ? ai-je murmuré.

— Je ne crois pas, non.

*

Voilà, c'est terminé.

Nous formions une famille, une vraie ; oui, je sais, certaines vont sourire mais c'est la vérité. Et même une famille comme une autre. Que cela vous plaise ou non. Ce n'est pas que nous nous disions des choses exceptionnelles, mais on était heureux ensemble, unis profondément, avec nos habitudes, nos rires, nos engueulades. On était vivants, et maintenant c'est comme si l'un de nous était mort. Et qu'il manquait à tout jamais aux autres. Comme si Léna avait suicidé notre famille. Ou qu'on ait tous les deux pris un méchant uppercut dans la tronche. Avec Stella, on est sonné, K-O debout. Hagards. Le souffle coupé. C'est tellement énorme, tellement imprévisible, que nous sommes démunis comme des enfants qu'on agresse, et sans réaction. Cette nuit-là, et toutes les nuits qui ont suivi, nous n'avons pu trouver le sommeil, tournant et retournant dans notre tête les mêmes questions stupides : pourquoi a-t-elle tout détruit ? Comment a-t-elle eu le cran de nous faire une chose pareille ? À nous ! On comptait donc si peu pour elle pour qu'elle nous traite ainsi ? Comment peut-on vivre si longtemps les uns à côté des autres et se connaître si mal ? Et quand on se réveillait, on se disait qu'on avait fait un mauvais rêve, que Léna serait là, dans le salon, en train de rouspéter ou de balancer une de ses blagues foireuses.

Mais il n'y avait personne. Que ce silence de cimetière.

On vivait un cauchemar les yeux ouverts. Elle s'était barrée sans penser une seconde au mal infini qu'elle allait nous faire, et sans avoir le courage de nous le dire en face. On vit dans un monde tordu et faux cul. On n'arrête pas de nous bassiner avec la famille, de nous seriner que c'est ce qu'il y a de plus beau sur cette terre, de plus fort et de plus important, mais celui qui tue un homme va en prison, alors que celui qui bousille une famille, qui anéantit ses proches par son inconscience et son égoïsme ne risque rien, on le féliciterait presque d'avoir assumé ses pulsions et revendiqué sa liberté. Tout le monde hausse les épaules en pensant que c'est la vie et qu'on s'en remettra, mais c'est faux. Nous, on ne s'en remettra jamais. Notre famille n'existe plus, j'ai perdu ma mère. Je lui en veux à mort d'avoir tout foutu en l'air. Je ne devais pas compter beaucoup pour elle, dans son petit mot d'adieu, elle n'a pas eu une pensée pour moi. Merci pour le cadeau d'anniversaire.

*

Le matin, j'ai été réveillé par un bruit d'eau venant de la salle de bains. J'ai entendu des voix, j'ai eu un espoir, je me suis dit : C'était une blague, elles sont revenues. Je suis allé frapper à la porte. Et, bêtement, j'ai demandé :

— Qui est là ?

— C'est moi, a dit Stella en fermant la douche. Qui veux-tu que ce soit ?

On a pris notre petit déjeuner sans un mot. On avait des gestes lents et des têtes de fêtards déboussolés. Stella avait son téléphone dans la main, elle avait essayé de joindre Léna à plusieurs reprises, mais cette dernière gardait son portable éteint.

— Qu'est-ce qu'on va faire ? ai-je demandé.

— Je n'en sais rien. Qu'est-ce qu'on fait dans ces cas-là ? On se jette par la fenêtre ou on continue à avancer, la tête hors de l'eau ?

Cette réponse de bon sens me paraissait être la seule alternative possible. J'ai fini mon café au lait et observé Stella. Elle avait le visage imperturbable d'une hôtesse de l'air au moment de l'atterrissage. Je me demandais à quoi elle pensait au fond de son cœur, si le départ de Léna signifiait que je devais m'en aller aussi.

— Tu sais, si tu préfères, je peux arrêter de travailler avec toi, je peux partir d'ici.

— Tu ne vas pas t'y mettre toi aussi.

Elle a lavé sa tasse dans l'évier et s'est retournée pour me dévisager longuement.

— Dis-moi une chose, Paul, tu ne savais rien ?

J'ai secoué la tête négativement.

— Vraiment rien ? a-t-elle insisté.

— Je n'ai rien vu venir. Rien de rien.

*

Quelques jours plus tard, sur le boulevard, je suis passé devant la boutique où j'avais acheté le téléphone de Yamina. J'ai pensé que j'arriverais peut-être à récupérer son numéro. J'ai raconté au patron que je l'avais perdu et que je devais rappeler ma copine de toute urgence. Il a eu l'air sceptique, mais il a retrouvé sur son ordinateur le contrat qui était à mon nom, il a regardé attentivement ma carte d'identité et il m'a donné le numéro. Sitôt sorti, j'ai appelé, mais il y avait immédiatement le répondeur, je n'ai pas laissé de message. J'ai recommencé plusieurs fois dans la journée, sans plus de succès. Le soir, en allant au resto, j'ai réessayé, sans trop de conviction, mais cette fois, il y a eu une sonnerie, et une voix de femme a répondu :

— Allô ?

— Yamina, c'est toi ?

Elle a raccroché. J'ai recommencé, mais par la suite je suis tombé systématiquement sur une voix enregistrée. Est-ce que c'était elle ? C'était probable, mais je n'en étais pas sûr à cent pour cent.

Au *Petit Béret*, l'ambiance était morose, je jouais mécaniquement, mais même les habituées ne s'en rendaient pas compte. Stella avait décidé qu'on n'en parlerait à personne, et ni le personnel ni les clientes n'ont rien su du départ de Léna. Quand quelqu'un demandait de ses nouvelles, on disait que tout allait bien. On continuait cahin-caha, je ne savais pas combien de temps on allait tenir.

Est-ce que ça va durer toujours ?

Le collègue que je remplaçais a eu une prolongation d'arrêt de travail, Marc a été soulagé que j'accepte de continuer à assurer ses missions en plus des miennes. En réalité, ça m'arrangeait bien. Ce n'était plus pour le pognon que je bossais, mais pour m'occuper la tête toute la journée, pour arrêter de me poser les mêmes questions en permanence. J'étais en train de faire la queue dans un McDo de La Défense quand soudain une idée a surgi, venant d'on ne sait où.

Je me suis retrouvé à Saint-Denis, dans le resto où j'avais rencontré Yamina quelques semaines auparavant.

Elle bossait là et elle ne pouvait pas être déclarée – comment c'était possible ? Il y avait peut-être quelque chose qui me permettrait de remonter jusqu'à elle. J'ai eu l'impression de faire un bond dans le temps. Les mêmes clients assis aux mêmes tables avalaient la même bouffe. À cette heure, ce n'était pas l'affluence, j'ai repéré une jeune femme avec un fichu noir sur la tête qui nettoyait les tables. Elle travaillait avec application, ramassant les plateaux, essuyant et frottant sans rien laisser derrière elle. Quand elle est arrivée à moi, je lui ai souri.

— Ce n'est pas trop dur, le travail ?

— Non, ça va.

— Je ne vous ai jamais vue, ça fait longtemps que vous travaillez là ?

— Près de deux ans, mais j'ai été malade un moment.

— Je cherche une amie, vous la connaissez peut-être, elle s'appelle Yamina.

Elle s'est redressée, a hésité, puis elle m'a dévisagé en fronçant les sourcils.

— … Yamina ?… Non, je ne connais pas.

— Elle travaillait ici il y a un mois et demi environ, à votre place, elle est plus jeune que vous, elle a des cheveux noirs longs, elle est mince, je crois qu'elle est syrienne. Tenez, regardez.

J'ai sorti mon smartphone, je lui ai montré les trois photos que j'avais prises de Yamina lors de notre pique-nique sur le quai de l'Arsenal. Elle a eu l'air surprise de les voir.

— Je ne la connais pas, je vous dis.

Elle a fait demi-tour avec son seau et son balai et a disparu derrière le comptoir. J'avais l'intention d'attendre que le service soit plus calme pour interroger les équipiers, quand j'ai vu réapparaître la jeune femme avec un homme d'une trentaine d'années. Elle m'a désigné du doigt, l'homme est venu vers moi d'un pas décidé.

— Je suis le manager, vous désirez, monsieur ?

— Je cherche une jeune femme qui s'appelle Yamina, et qui travaillait ici.

— Il n'y a aucune Yamina ici.

Je lui ai montré les photos sur mon appareil.

— Elle faisait le nettoyage à cette place, et c'est là que je l'ai rencontrée. Elle doit être syrienne, et elle n'a pas de papiers. C'était le jour où vous avez eu un contrôle de police.

— Je m'en souviens très bien, c'était il y a deux mois, mais tout notre personnel est déclaré, avec des papiers en règle. Vous devez faire erreur.

— Vous n'avez rien à craindre de moi. Je ne suis pas de la police. Je suis un ami. Il faut absolument que je la retrouve. C'est très important.

— Je ne peux rien faire pour vous, monsieur, et je vous prie de ne pas importuner le personnel.

*

Une semaine qu'elles ont disparu. Une semaine sans aucune nouvelle. À croire qu'elles ont été enlevées par des Martiens. On a arrêté de leur téléphoner, de laisser des messages. Combien de temps va-t-on rester plombé dans l'incertitude? Des mois, des années? Quand on l'a interrogée, Judith est tombée des nues. Je ne l'aime pas beaucoup, mais son désarroi était visible. Elle n'est au courant de rien. Pourtant, elle voyait Léna tous les jours. Elle va chercher un autre boulot, parce qu'elle ne peut pas rester sans bosser. Stella ne mange plus rien, elle n'a plus faim, elle boit uniquement du thé au lait, grignote des noisettes et des olives, elle a des crampes d'estomac quand elle avale autre chose. Elle dit qu'elle a emmagasiné des réserves, qu'elle va retrouver sa taille mannequin d'il y a dix ans, elle qui ne fumait plus s'est remise aux mentholées.

Même si on n'a rien dit, au resto, tout le monde est au courant. Les filles font semblant de rien, mais elles sont prévenantes avec Stella, dès qu'elle demande quelque chose, il n'y a plus jamais de discussion. On ne sait pas comment la nouvelle s'est répandue. Par Judith, peut-être. Nathalie, l'avocate de Léna, est la seule à avoir été mise dans la confidence, on espérait qu'elle aurait été contactée, mais Léna a décidé de faire le vide derrière elle. Sauf que son départ soudain risque d'engendrer un problème auquel elle n'a certainement pas pensé. Étant sous contrôle judiciaire, elle doit pointer une fois par semaine au commissariat du XIe, et elle vient de rater le premier pointage. Le temps que cela remonte au juge, elle va se retrouver, paraît-il, avec un mandat d'amener. On n'avait pas besoin de ça. Stella a répondu que ce n'était plus son problème.

On étouffe dans cette ville. Je n'ai plus envie de rien. Sauf de me casser. Très loin, et sans laisser de traces, moi non plus. Venise or not Venise? Je vais écrire à Hilda, renouer avec elle, lui demander s'ils n'ont pas besoin d'un pianiste à Venise. J'ai acheté une carte postale romantique des quais et de Notre-Dame, mais je traîne. Pourtant, plus rien ne me retient ici. J'ai retourné cette idée dans tous les sens depuis plusieurs jours, et je me suis décidé cette nuit, les yeux ouverts dans le noir. Je m'installe dans la cuisine, avec la carte, je gratte un brouillon, pour ne pas avoir l'air trop direct, pour qu'Hilda ne se fasse pas d'illusions, et glisser cette suggestion comme si elle venait de surgir, rien d'urgent ou d'important. Stella arrive, elle a les yeux rouges, une tête épouvantable. Pas besoin de demander si elle a passé une bonne nuit. Elle prépare son thé au lait, s'assoit en face de moi.

— À qui écris-tu? demande-t-elle.

Je lui explique mon projet. Elle a un regard paniqué.

— Dis, tu ne vas pas me laisser? Pas maintenant. Attends un peu, je t'en prie.

*

Moi, mes meilleurs copains sont des copines. Elles sont là quand ça ne va pas, et en ce moment, c'est la débandade. On dit souvent qu'un homme et une femme ne peuvent pas être amis, c'est la vérité, il y a toujours des arrière-pensées, ou alors ils ne sont pas hétéros. Mais nous, on a réussi à échapper au cliché ou à la fatalité, on a baisé ensemble et on est amis. Caroline s'est immédiatement rendu compte que ça n'allait pas. C'était le lendemain du départ de Léna. Elle était venue dîner avec sa patronne et ses collègues milanaises au resto ; pendant le repas, elle s'est approchée du piano, et m'a demandé qui était mort.

— Pourquoi tu dis ça ?

— Parce que tu ne joues que des trucs sinistres ce soir.

J'ai enchaîné avec les Platters, ils ont été créés pour moi. En partant, Caroline est venue me prévenir qu'elles allaient en boîte, pas au *Dingo* bien sûr puisque j'y suis interdit de séjour, mais à *L'Astuce*, un club voisin plus accueillant. Elle m'a proposé de les rejoindre à la fin du service.

— Je ne viendrai pas. Je n'ai pas le cœur à rigoler ce soir.

Caroline a accompagné ses amies jusqu'à cette boîte, elle les a laissées s'amuser sans elle, et elle est revenue parce qu'elle avait bien vu que j'avais un problème. Je n'ai pas voulu en parler au resto à cause des oreilles qui pouvaient traîner, on est allé prendre un verre place des Vosges. Quand je lui ai raconté ce qui s'était passé, elle a dit « Oh, putain ! » mais ça ne l'étonnait pas.

— Je m'en doutais. Elle avait un air de sainte-nitouche, et moi, les filles nickel, je m'en méfie, ça cache toujours quelque chose ; je sais de quoi je parle, j'étais comme elle. Surtout que…

Elle s'est interrompue, comme si elle en avait trop dit, il a fallu que j'insiste pour qu'elle poursuive :

— Je la trouvais craquante, avec ses grands yeux noirs et son air de cocker, et un soir où elle était assise au bar, j'ai tenté ma chance. Après tout, je n'avais aucune raison de ne pas essayer. J'ai été assez directe, je lui ai demandé si vous étiez ensemble, elle a répondu que les hommes ne l'intéressaient pas. Qu'est-ce que tu fais, toi, si une fille te dit ça ? Eh bien, j'ai fait comme tu aurais fait. Je l'ai invitée à boire un verre, on est allé au pub sur le canal. On a parlé longtemps, de ce qu'elle avait vécu, de sa vie ici ; je lui ai proposé de venir à la maison, elle m'a dit qu'elle était avec quelqu'un, et qu'elle ne voulait pas d'une aventure.

— Je le savais.

— On s'est revu, plusieurs fois, on se parlait souvent au téléphone, on prenait des verres. Je me disais que c'était un investissement, et puis, il y a quinze jours, elle m'appelle, affolée, elle me raconte une histoire délirante, de son frère victime du racket d'une bande de passeurs tchétchènes. Bref, je me suis fait avoir de mille euros.

— Quoi !

— Je ne m'en tire pas trop mal, parce qu'au départ elle avait besoin de dix mille.

— Pourquoi tu lui as donné ?

— Elle avait l'air tellement paumée, et son histoire avait l'air tellement vraie que…

En rentrant, j'ai réveillé Stella. Quand je lui ai rapporté cette histoire, elle a paru soucieuse. Elle a enfilé sa robe de chambre et elle a vérifié aussitôt les comptes de Léna. Elle avait ses codes d'accès. Le compte du *Studio* avait peu bougé depuis la fermeture, il servait à payer les frais courants, par contre,

Léna avait retiré treize mille euros sur son compte d'épargne, qui était à sec; elle n'avait rien pris sur le compte joint, mais son compte personnel avait été presque vidé.

— Elle a retiré près de... dix-huit mille euros, a calculé Stella.

— Qu'est-ce que tu vas faire?

— Elle fait ce qu'elle veut de son argent, mais ce n'est pas ça qui m'inquiète.

Stella est restée songeuse un long moment.

— Écoute, Paul, cela te concerne aussi. Et je le répète, je m'en fiche du pognon, mais on ne sait pas ce qui se passe et ce que veut cette fille. Pour l'instant, Léna n'a pas touché au compte joint, mais elle a aussi les codes d'accès de mon compte personnel, et du compte du resto. Avec Léna, on n'avait aucun secret l'une pour l'autre. Là, je crois qu'il faut la protéger, peut-être malgré elle. Il faut changer les codes d'accès, comme ça elle ne pourra rien retirer sans m'en parler. Est-ce que tu es d'accord?

— Si tu crois qu'il faut le faire, vas-y.

— Je n'aurais jamais cru qu'on en arriverait là.

Stella s'est mordillé la lèvre, ses yeux se sont embués et elle a murmuré:

— Mon Dieu, qu'est-ce que nous sommes devenus?

*

Dans la bagarre, personne n'a pensé à mon anniversaire. Même Alex a oublié. Je suis majeur, et ça me fait une belle jambe. En quelques jours, j'ai vieilli de dix ans. Au moins. Ce n'est pas seulement Stella que ma mère a abandonnée, c'est moi aussi. Et méchamment. Je savais bien qu'elle suivait toujours ses impulsions et n'en faisait qu'à sa tête sans se poser de questions, mais je pensais qu'il y avait des limites naturelles qui s'imposaient. Si elle était venue me voir pour me dire qu'avec Stella ça n'allait plus très bien, qu'elle était tombée amoureuse de Yamina, je n'aurais probablement pas sauté de joie, mais je me serais fait une raison. Là, elle m'a traité comme si je n'avais aucune importance dans son cœur. Yamina, je m'en fiche. Oui, elle m'attirait, mais ce n'était pas plus qu'un désir pour une fille ravissante, je n'éprouve pas de regrets à son égard, seulement de l'amertume et une infinie tristesse que Léna m'ait accordé si peu de considération.

Au resto, je tourne en rond, j'ai l'impression d'étouffer, et à chaque fois que je rentre à la maison, j'ai un espoir débile, je me demande si Léna n'est pas revenue. J'ai besoin de me changer les idées, de m'amuser, je décide d'aller faire un tour. Je retourne à *L'Astuce*, un club qui est en train de supplanter le *Dingo*. Il n'y a pas de dragon à l'entrée, c'est une boîte avec une clientèle plus jeune, et une musique plus actuelle. La dernière fois, j'ai dragué une Martiniquaise, mais elle était avec un groupe de copines et je n'étais pas en forme, il était tard, je me suis planté. Est-ce que je suis encore capable de lever une fille ?

Je rentre sans problème, personne ne me remarque, quand je le décide je suis une femme comme une autre, le genre simple, pas maquillée, sans bijoux. Apparemment, avec mon sourire indéfinissable, je fais encore illusion, j'avance lentement, à la fois décontracté et aux aguets, essayant de capter un signal d'affinité ou d'intérêt, un appel du regard. Je me dirige vers le bar, je m'installe sur un tabouret, j'ai une vue stratégique. Je commande un Veracruz, la serveuse le prépare dans les règles, elle est mignonne, je lui en propose un, elle refuse sous prétexte que c'est traître. On commence à parler, mais ce n'est pas possible d'avoir une conversation parce qu'elle travaille en même temps et qu'il y a trop de bruit. J'aperçois Mélanie qui passe une commande. On n'est pas fâché, juste un peu en froid depuis qu'elle a raconté à Caroline que j'allais me faire opérer, on n'a jamais trouvé l'occasion de s'expliquer. Je lui adresse un signe de tête, manière de montrer que je garde mes distances, mais cela ne la décourage pas. Elle me fonce dessus, sa frange en bataille.

— Qu'est-ce que tu fais là ?

— D'après toi ?

— Vous avez des nouvelles de Léna ?

— Comment tu es au courant ?

Elle ne répond pas, me fixe d'un air interrogateur. Je poursuis :

— Pas de nouvelles, bonnes nouvelles.

— C'est très drôle. Après ce qui vient d'arriver, tu ne devrais plus venir ici.

— Ah oui, et pourquoi ?

— Caroline m'a dit que tu en voulais à mort à Léna. Tu n'as donc rien compris.

— Compris quoi ?

Elle se perche sur un tabouret et se penche vers moi.

— Normalement, je ne devrais pas te le révéler, je devrais attendre que tu fasses le chemin et que tu arrives à cette conclusion par toi-même, mais soit tu es trop con, c'est une forte probabilité, soit tu es trop jeune ou trop perturbé en ce moment pour le découvrir tout seul. Et je ne supporte plus de te voir patauger, tu dois passer à l'étape suivante.

Elle voit à mon regard que je ne comprends rien à son charabia.

— Excuse-moi de te balancer mon analyse aussi brutalement, mais tu fais une variante d'Œdipe assez intéressante. Tu essayes de séduire ta mère. Malgré ton androgynie, et tout ce que tu crois être, tu n'es pas du tout tolérant avec le sexe féminin. En vérité, tu ne supportes pas l'homosexualité de ta mère et, en sortant avec des lesbiennes, c'est avec elle que tu cherches à coucher, pour la remettre dans le droit chemin de l'hétérosexualité. En réalité, tu n'as jamais accepté l'homosexualité de Léna, et tu luttes contre elle de cette façon.

— Tu es dingue !

— Ouvre les yeux, Paul, c'est avec elle que tu veux faire l'amour, quitte à prendre des risques insensés, à te faire pincer, humilier, et te ridiculiser. C'est elle que tu cherches la nuit dans ce genre de boîte. Elle enfin dont tu veux te venger, pour avoir éliminé ton père, pour l'avoir remplacé et réduit à rien.

Je ferme les yeux.

Dans ma tête déferlent des réflexions oubliées, des réponses perdues, des sourires tordus, des visages hostiles, avec des bribes musicales qui s'entrechoquent. Une vague de chaleur m'envahit. Et une putain de chair de poule. Mélanie pose sa main sur la mienne. Cette conne a raison.

Game over.

— C'est quoi la suite ? Je me jette sous le métro ? Je me fais opérer ?

— Tu dois faire la paix avec ta mère, et ne plus vouloir la baiser par personne interposée.

*

J'ignore ce que l'avenir réserve à Mélanie, si elle ouvre vraiment une voie nouvelle, plus rapide et directe, comme elle le prétend, si elle sera une psychanalyste reconnue ou si elle échouera sur une voie de garage. Mais à moi, elle a rendu un sacré service, elle m'a évité au moins vingt ans de psychanalyse, et d'avoir des regrets, comme les autres, à la fin du traitement en ruminant : « Si j'avais su tout ça avant, j'aurais agi autrement. » Elle a été expéditive et peu orthodoxe, mais d'une incroyable efficacité. Je lui en serai toujours reconnaissant. Je ne sais pas si on recouchera ensemble, ça ne m'étonnerait pas, elle a sur la question du transfert une position épicurienne, et pas si désagréable. *On ne vit qu'une fois, non ?* Peut-être aussi, parce qu'elle connaissait une grande partie de ma vie, et la souffrance que je subissais aujourd'hui, a-t-elle voulu éviter que je continue à errer, à me cogner contre moi-même et que je saisisse la perche du salut qu'elle me tendait.

*

Cela fait seize jours que Léna et Yamina ont disparu. Ou dix-sept. Quelle importance. Hier, on a trouvé dans la boîte aux lettres une convocation du commissariat pour Léna. On ne l'a pas ouverte. Probablement à cause de son pointage raté. Stella a prévenu Nathalie. Celle-ci a répondu qu'elle allait voir le juge et lui dirait la vérité, tout bêtement, il paraît que c'est toujours la meilleure défense, et qu'avec un peu de chance il ne délivrera pas de mandat d'amener à son encontre. Nathalie enverra aussi un texto à Léna pour lui rappeler ses obligations, dans l'espoir que ça la fasse réagir, et qu'elle se manifeste.

Je venais de me taper quatre McDo en trois heures, je formulais des vœux pour le rétablissement du collègue, car j'avais atteint le seuil de saturation, je ne supportais plus de voir les clients mastiquer leur caoutchouc avec des mines réjouies. J'ai appelé Marc pour lui dire que je n'en pouvais plus, il m'a promis que la semaine suivante, je reviendrais à mon rythme initial. Si j'avais été consciencieux, j'aurais dû en faire encore un autre, mais j'en avais marre, je suis rentré à la maison. À peine avais-je refermé la porte que la sonnerie du téléphone a retenti. J'ai décroché en pensant que c'était Nathalie, mais j'ai entendu une voix de femme inconnue :

— Bonjour, je suis chez Mme Hélène Martineau ?

— Oui.

— Pouvez-vous m'indiquer qui vous êtes par rapport à elle ?

— Je suis son fils.

— Je me présente : je suis Marie Lecoz, l'infirmière-chef du service de soins intensifs du Centre hospitalier de Boulogne-sur-Mer. Votre mère vient d'être hospitalisée chez nous.

— Que lui est-il arrivé ?

— Un problème cardiaque. Assez sérieux. Il faudrait que vous veniez le plus vite possible.

— Je peux lui parler ?

— Actuellement, elle dort. Vous devez venir. De toute urgence.

J'ai appelé immédiatement Stella, je suis tombé sur son répondeur, je n'ai pas voulu l'affoler, je lui ai demandé de me rappeler. À la gare du Nord, j'ai pu attraper un TGV, j'ai contacté de nouveau Stella, toujours sur messagerie, j'ai insisté en disant que c'était urgent. J'ai laissé un autre message pendant le voyage, un autre encore à mon arrivée à Boulogne, deux heures un quart plus tard. Il était dix-huit heures trente quand j'ai pénétré dans l'hôpital, qui m'a paru immense avec ses bâtiments fonctionnels empilés les uns sur les autres, et entourés de verdure. À l'accueil, une hôtesse m'a dirigé vers le cinquième étage. Le bureau des infirmières se trouvait en face de l'ascenseur. Une femme un peu ronde tapait sur le clavier d'un ordinateur, elle a continué quand je suis entré dans le bureau. Son badge indiquait *Marie Lecoz*. Elle a levé la tête.

Je n'ai pas eu besoin de me présenter.

*

Léna dort dans une chambre vert et jaune, la dernière au bout d'un interminable couloir, la tête légèrement en arrière, une perfusion et un tuyau fichés dans le bras gauche avec des fils menant à des moniteurs qui affichent des chiffres clignotants et des diagrammes, son index gauche est enserré dans un capteur. Elle est immobile dans un pyjama bleu marine, elle est pâle, presque blanche, ses tatouages paraissent noirs. Par la fenêtre, sur le côté droit, on aperçoit un petit bois, et à gauche, derrière une barre d'immeubles anciens, on devine la mer. L'infirmière vérifie un appareil, procède à un réglage de la perfusion.

— Des passants l'ont trouvée à moitié inconsciente en fin de matinée dans un jardin du centre-ville. Les pompiers sont intervenus très vite. Elle avait fait un infarctus. On lui a donné de la morphine pour calmer la douleur, et on la laisse sous perfusion jusqu'à demain matin. La chef de service va passer, elle vous donnera plus d'informations.

L'infirmière sort, j'approche une chaise du côté droit du lit, je m'assois, je prends sa main, elle est froide. Léna a un peu de sueur sur le front et la peau du cou marbrée. J'ai du mal à admettre qu'elle est inconsciente, je scrute son visage comme si elle me jouait un tour, qu'elle allait ouvrir un œil et se dresser d'un bond, mais elle ne bouge pas. Je garde sa main glacée dans la mienne pour lui transmettre un peu de chaleur, qu'elle sente que je suis là, avec elle. Un peu avant huit heures, je reçois un appel de Stella, je sors dans le couloir.

— Où es-tu ? demande-t-elle.

— Pourquoi tu ne m'as pas rappelé plus tôt ?

— Je n'ai pas eu une minute à moi, je me suis dit qu'on se verrait ce soir. Que se passe-t-il ?

Je lui raconte tout ; j'entends le bruit de fond du restaurant, je suis obligé de demander si elle est toujours là, elle dit : « Oui, continue. » À la fin, il y a un long silence.

— Pourquoi tu ne m'as pas prévenue avant ?

— Je n'ai pas arrêté de te laisser des messages.

— Tu aurais dû me dire ce qui se passait sur le répondeur. Bon, j'arrive.

Plus tard, une femme en blouse blanche d'une quarantaine d'années avec un chignon tressé entre dans la chambre, elle ausculte rapidement Léna, contrôle les différents appareils, reporte des données sur un carnet. Nous sortons dans le couloir. Elle me demande où se trouve mon père, je réponds que je n'en ai pas, que je vis seul avec ma mère et son amie.

— Votre mère a fait un infarctus massif, c'est rare à son âge, mais cela arrive de plus en plus souvent. Il y a une atteinte assez sérieuse de la coronaire. On lui a administré des médicaments pour rétablir le rythme cardiaque et faire remonter la tension artérielle ; ses artères sont quasiment obstruées, on va l'opérer demain matin.

— Mais vous allez la sauver ?

— Elle est dans une phase délicate, où le pire peut arriver, elle a passé le premier choc, elle est jeune, elle réagit bien au traitement, je ne peux pas en dire plus.

Je suis dans la chambre, avec Léna, quand Stella me rappelle. Elle est gare du Nord, il n'y a plus de départs pour Boulogne à cette heure-ci. Je lui rapporte ce que la toubib m'a expliqué. Elle me rejoindra par le premier train du matin. Je m'assois à côté de Léna, je lui prends à nouveau la main. Je trouve qu'elle est moins froide, que son visage est moins blanc, mais c'est sans doute une illusion. La nuit est tombée, j'ai un peu faim mais je n'ai pas envie de quitter Léna.

On va rester tous les deux.

Je n'arrive pas à réaliser que son cœur risque de ne pas résister, que c'est peut-être la dernière fois qu'on est ensemble, c'est une pensée impossible, je me répète qu'elle va s'en sortir, mais cette putain d'idée de mort revient cogner comme un métronome. Jamais je ne me suis senti aussi inutile.

Léna me prend par la main. Elle me tire vers elle. Je résiste, elle insiste, elle m'aide à sauter au-dessus d'un ruisseau, on court ensemble, elle devant, moi derrière elle. On court mais, curieusement, nos pieds ne touchent plus le sol, on décolle, elle se retourne et éclate de rire. Et quand je me réveille, la première chose que je vois, c'est sa main qui bouge sur la mienne. Léna a ouvert les yeux, elle esquisse une sorte de sourire et elle a l'air de vouloir parler. Elle me serre la main, cela lui demande un effort qui l'épuise, elle relâche la pression.

— T'en fais pas, ça va aller, tu es bien soignée ici.

— Comment tu vas ? murmure-t-elle.

— J'ai vu le docteur, elle est très bien. Comment te sens-tu ?

— Moyen. Qu'est-ce qu'elle a dit ?

— Tu as fait un infarctus, mais pas trop grave, tu seras opérée demain matin.

Léna m'adresse un timide sourire, elle essaye de se redresser en s'aidant du coude, et y renonce.

— J'ai soif.

J'attrape la télécommande sur la tablette et remonte la tête de lit. Je remplis un verre, elle ne veut pas que je l'aide. Elle prend le verre, sa main tremble quand elle le porte à ses lèvres, elle boit lentement, on a l'impression que l'eau irradie dans son corps.

— Il fait une chaleur là-dedans, tu ne peux pas ouvrir la fenêtre ?

— Il ne vaut mieux pas. Tu as une douleur quelque part ?

— Il faut qu'on parle, Paul.

— Cela peut attendre. Repose-toi.

— Non, maintenant, je ne me sens pas trop mal.

Heroes

— Il est temps que tu connaisses ma vie et ma jeunesse, je n'en ai jamais parlé à personne, et très peu à Stella. On ne sait pas ce qui va arriver demain, je n'ai pas un bon pressentiment. C'est ton histoire à toi aussi, et tu dois savoir. Vois-tu, je suis née dans une famille profondément, je devrais même dire horriblement religieuse, on en était imprégné dans notre quotidien. Ma tante, la sœur aînée de mon père, était dominicaine, on faisait la prière à chaque repas, on ne ratait ni la messe, ni les vêpres, ni aucune célébration, longtemps ce fut pour moi une corvée incontournable. Mes problèmes ont commencé jeune, à l'école catholique. Au catéchisme, les enfants avaient l'air convaincus, pas moi ; je posais des questions saugrenues, on disait que j'avais mauvais esprit. Je n'arrivais pas à y croire : à la résurrection, à l'élévation, aux miracles, à la sainte Trinité, je ne comprenais pas, je n'étais pas satisfaite des réponses que le prêtre donnait. Le clou, ça a été la Vierge Marie. J'étais un peu en avance pour mon âge, j'ai soutenu que c'était invraisemblable, je lui ai lancé qu'il racontait des fariboles, tu te rends compte : j'avais neuf ou dix ans, j'avais lu ce mot dans *Le Cousin Pons*, et j'étais allée chercher la définition dans le dictionnaire, j'étais très fière de connaître ce terme, je n'arrêtais pas de leur balancer : «Votre religion, la Vierge Marie et tout le reste, ce sont des fariboles.» Ils n'ont pas essayé de discuter, c'était à prendre ou à laisser, je devais m'incliner, baisser les yeux et me soumettre, mais je me suis entêtée, je soutenais que c'était impossible, je ne pouvais pas supporter ce mensonge, j'avais l'impression de vivre au centre d'une conspiration qui cherchait à me faire admettre cette imposture. Au catéchisme et à la maison, il y a eu des conflits incessants, puis des cris, des disputes, mais je n'ai pas cédé, j'en faisais comme eux une question de principe, de vie ou de mort. Je répétais : «Je ne croirai jamais à vos fariboles !» J'ai été mise sur la touche, j'ai été interdite de communion, et cela a marqué la cassure avec ma famille. Avec mon père, ce fut irréversible. C'est à cause de la religion que je me suis éloignée de mes parents et de mes quatre frères et sœurs, à l'exception de Marie-Laure, ma petite sœur. Tu sais pourquoi ? Elle n'y croyait pas trop, mais elle, elle faisait semblant, pour avoir la paix. Pendant des années, j'ai dû supporter leur morale de merde, et elle a été la seule à ne pas me rejeter. C'était notre secret. Et puis, très jeune, j'ai réalisé que les garçons ne m'intéressaient pas. Peut-être parce que je savais que c'était une bonne façon de leur faire payer ce qu'ils m'avaient imposé. Peut-être pas. Quand mes copines piaffaient en les regardant, moi je me demandais ce qu'elles leur trouvaient. J'ai eu ma première expérience avec ma meilleure amie, je ne me suis pas posé la question de savoir si c'était bien ou si c'était mal. C'était naturel. C'était aussi une évidence qu'il ne fallait pas le clamer sur les toits, mais mon frère Stéphane, Monsieur Coup-en-douce, que tu as croisé à l'église, m'a balancée sans vergogne. Ah, il était fier de lui. Tu n'as aucune idée de ce que j'ai vécu, ce fut l'enfer pendant plus d'un an. Sous surveillance permanente. Ils se relayaient tous. J'étais une pestiférée, une étrangère dans ma propre famille. À un moment, ils ont failli gagner, j'ai été sur le point de céder, ils avaient réussi à me persuader que j'étais anormale. Il n'y a que Marie-Laure qui m'ait aidée, elle disait qu'on allait au cinéma ensemble, et je partais retrouver ma copine. Et puis un jour, ça a cassé. J'allais passer mon bac de français, mon père est venu me chercher au lycée, il m'a surprise avec elle, main dans la main, dans un café au Trocadéro. Il m'a mis une baffe, je la lui ai rendue. Et je me suis barrée. Comme ça. Sans rien. Sans un rond. Je suis partie en courant, et je ne l'ai revu que vingt ans plus tard, à l'enterrement de ma sœur. Je ne te raconte pas ce que fut ma vie, la galère, la vraie, mais ce fut aussi une période joyeuse où, après avoir vécu dans la prison familiale, je faisais l'apprentissage de la liberté, et jamais, pas une seule seconde, je n'ai regretté d'être partie. Même quand, par moments, ça a été difficile ou pénible… Donne-moi encore un peu d'eau.

Je remplis le verre, je le lui tends, elle le vide par petites lampées.

— Qu'est-ce que je ne donnerais pas pour une cigarette !

— Tu plaisantes ?

— Je suis assez sérieuse.

— Et après, que s'est-il passé ? Tu avais quel âge ?

— J'étais plus jeune que toi aujourd'hui, j'avais
seize ans quand je suis partie de chez moi, j'étais tête
en l'air, toujours prête à rigoler, à faire la fête, et j'ai
fait des conneries, tu n'as aucune idée. Une véritable
collectionneuse.

— Lesquelles ?

— C'est si loin tout ça. Mais quand j'y repense, je
me dis que j'étais folle. Je suis passée deux-trois fois
à côté du précipice, mais c'est ça qui était excitant
et jubilatoire. Faire tout ce que tu veux, sans aucune
limite. À cet âge, tu penses que tu es invulnérable, que
tu peux tout te permettre, ça passe ou ça casse, et tu
t'en fous, tu veux juste vivre. J'ai eu de la chance aussi.
Même quand je me suis fait cabosser, je suis retombée
sur mes pattes, et je recommençais. Je suis une tout
autre personne aujourd'hui, mais à l'époque, j'en ai
vraiment profité. Et puis, il y avait la musique, le rock
bien sûr, il y avait des concerts partout, dans des bars,
des boîtes, des festivals, on connaissait les machinos,
on donnait un coup de main pour décharger et monter, on entrait sans payer, c'était notre vie, on rêvait de
bosser là-dedans, sans trop savoir quoi faire, à moitié groupies, à moitié roadies. On dormait n'importe
où, on mangeait n'importe quoi, on fumait pas mal
aussi. J'avais une copine qui était choriste, elle avait
cinq ans de plus que moi. Un matin, c'était un samedi,

en écoutant la radio, on apprend que Bowie donne un concert en Belgique le soir même. Bowie, notre dieu. Comment expliquer ce qu'il représentait pour nous ? J'avais tous ses albums, je connaissais toutes ses chansons par cœur, c'était le plus grand. Comment exprimer ce qu'on ressentait pour lui ? C'était viscéral, organique, fusionnel, l'incarnation de la musique, on l'écoutait et on chavirait. Elle me dit : « Et si on y allait ? » On est parti comme ça, les mains dans les poches, sans se poser la moindre question, avec cent francs en tout et pour tout. La seule chose à laquelle on pensait, c'est qu'on allait l'entendre en vrai. Sur une scène.

— C'était en quelle année ?

— En… juillet 97. Une heure après, on était porte de La Chapelle, à faire du stop. Je ne te dis pas, deux gamines qui lèvent le pouce à l'entrée du périphérique. On finit par trouver un camionneur belge, un jeune assez sympa, qui nous embarque. On savait qu'il y avait un concert en Belgique, mais on ne savait pas dans quelle ville ! Coup de bol, le camionneur, lui, le savait. « Quoi ! vous ne connaissez pas le festival de Werchter ? » qu'il nous dit. « Mais vous vivez sur quelle planète ? C'est le plus grand festival de rock au monde ! » Nous, on était deux Martiennes. Il nous a laissées dans les environs de Charleroi, et il nous a expliqué comment poursuivre jusqu'à Louvain. Mais c'était en Flandres, on ne comprenait pas un mot. On s'est paumé. Finalement, on a débarqué là-bas sur le coup de six heures du soir, sous une pluie battante. On pataugeait dans la gadoue, j'étais en baskets, avec un blouson en jean. On entendait de la musique dans le fond, mais on ne pouvait pas entrer sans payer. On était crevé, on s'est disputé ; elle est partie de son côté, moi du mien, j'ai contourné la palissade, je me suis faufilée derrière un camion qui entrait pour décharger. J'étais trempée jusqu'à l'os, mais je m'en fichais. J'apercevais la scène éclairée au loin, le public n'était pas encore admis. Et tout d'un coup, je l'entends. Lui. Bowie. Et je le vois sur la scène. C'était irréel, c'était magique. J'oublie tout, la flotte, le froid. Je m'avance, personne ne fait attention à moi. Il répétait avec son orchestre, il faisait les balances, des réglages sono, il donnait des instructions à la régie, il y avait des effets larsen, et des projecteurs qui l'éblouissaient ; je m'approche, tout près, à deux mètres de lui en contrebas, je n'en revenais pas de cette proximité invraisemblable avec lui. Tu te rends compte ? Il était rien qu'à moi, je n'en croyais pas mes yeux. À un moment, je me suis dit : C'est un rêve, je dors, et je vais me réveiller dans ma chambre, j'ai fermé les yeux, je les ai rouverts, mais il était toujours là, et ce n'était pas un rêve. Il a demandé qu'un mur de haut-parleurs sur la gauche de l'estrade soit reculé pour qu'ils ne soient pas mouillés par la pluie. Aussitôt, des machinistes ont exécuté ses instructions. Je le regardais se déplacer avec sa grâce de félin, il était incandescent. Puis il a demandé à l'orchestre de reprendre *Ashes to Ashes* ; les premières notes se sont élevées, mais il a arrêté car il avait un problème de retour. Ça s'est arrangé, et il a lancé le batteur pour le début de la chanson, de la main il a fait signe aux musiciens de ralentir le rythme :

Do you remember a guy that's been
In such an early song

Je me suis mise à chanter ces paroles comme si je les inventais :

I'm happy, hope you're happy too
I've loved all I've needed to love

Je me souviens m'être dit que la sono n'était pas terrible, qu'il avait une voix un peu rauque et que la pluie qui tombait dru n'arrangeait pas l'acoustique. Lui dansait comme l'ange qu'il était, comme sur le clip, la même chorégraphie, c'était magique.

I've never done good things
I've never done bad things
I've never did anything out of the blue

C'est à ce moment-là qu'il m'a aperçue, je me dandinais sur la musique. Il m'a adressé un petit salut de la main, je ne sais pas ce qui m'a pris, je lui ai envoyé un baiser, ça l'a fait sourire. Il m'a aussi envoyé un baiser. J'avais l'impression d'entrer au paradis. Ça a duré je ne sais pas combien de temps. Et puis le rêve a fini par s'arrêter. Il a dit que c'était OK pour lui. Il a disparu à l'arrière de la scène, j'ai fait le tour de l'estrade, je l'ai vu qui se protégeait la tête avec un imper, je me suis dit : Lance-toi ma fille, c'est le moment ou jamais. Vas-y, parce que cela ne se reproduira pas deux fois dans ta vie. Je me suis précipitée, j'ai crié en courant : «David, David!» Il s'est retourné, je l'ai rejoint, je me suis immobilisée en face de lui, j'avais les jambes qui flageolaient, j'entendais mon pauvre cœur qui battait déjà la chamade. Il avait une lumière qui l'éclairait de l'intérieur, et des yeux bleus à mourir, je l'ai trouvé sublimissime. Il était en sueur, je lui ai tendu un mouchoir, il s'est essuyé le front avec, et me l'a rendu, je me suis dit : Chouette, je vais avoir un mouchoir avec la sueur de David Bowie dessus. Il m'a souri. «S'il vous plaît, David, je vous en prie, donnez-moi un autographe.» Comme une imbécile, je m'étais adressée à lui en français, eh bien, il m'a répondu, en français ! «Je n'ai pas de stylo sur moi, les photos sont dans la caravane, viens.» J'étais épatée, je ne savais pas qu'il parlait un français sans accent. Je l'ai suivi à l'arrière de la scène où, derrière une double rangée de peupliers, se trouvait aménagé un camp d'une douzaine de caravanes dernier cri toutes identiques, disposées en épi. Il a ouvert la troisième avec une clé; à l'intérieur, il régnait un bordel pas possible, avec une dizaine de guitares par terre, des partitions, des costumes de scène qui traînaient, et des chaussures partout, je me suis dit : C'est normal, c'est une rock star, elles ont toutes une flopée de grolles.

«Je vais faire du café, si ça continue je vais attraper la crève, a-t-il dit.

— Oui, je réponds, ce serait embêtant avant le concert.

— Quel temps pourri, on n'a pas de chance.»

Il est passé dans le coin cuisine, il y avait un percolateur, il a préparé deux cafés en un tour de main. Je me suis dit : C'est incroyable ce que ce type est gentil et simple, et humain, pas du tout arrogant et hautain comme il devrait l'être avec moi qui ne suis rien.

« Et avec un petit coup de calva, on va se réchauffer », a-t-il poursuivi en attrapant une bouteille dans une armoire. Il en a versé dans les deux tasses. Devant moi, il s'est roulé un pétard et me l'a passé. Je n'en revenais pas que David Bowie apprécie le calva. Sur la table, j'ai remarqué huit paquets de photos différentes, deux piles étaient déjà dédicacées, il y avait *L'Équipe*, ouvert à la page du foot, j'ai trouvé ça marrant.

« Vous aimez le foot ?

— C'est ma passion. J'aurais aimé être libéro, mais… En ce moment, les transferts, ça devient dément. Tu t'y connais en foot ?

— Pas du tout. Je peux prendre une photo dédicacée ?

— Attends, je vais te la dédicacer spécialement pour toi. C'est quoi ton prénom ?

— Hélène, mais je ne l'aime pas du tout, je veux en changer.

— Ah bon, pourtant c'est joli, Hélène.

— Vous trouvez ? Alors je veux bien, oui.

— Choisis celle que tu veux. »

J'ai pris une photo d'*Aladdin Sane*, avec l'éclair rouge et bleu zébrant le visage.

« Je suis folle de cette époque.

— Moi aussi. C'est ton album préféré ?

— J'aime beaucoup, mais je préfère *Heroes*, je l'ai écouté des milliers de fois. »

Il a déboutonné sa chemise en soie beige et il a découvert sur son torse trois superbes tatouages en couleurs de lui-même, sur le cœur un immense Aladdin Sane avec le fameux double éclair, à côté, prenant naissance sous l'aisselle, un étrange Diamond Dogs un peu délavé, et sur le ventre un Hunky Dory, mains pressées sur la tête. Les deux tattoos supérieurs étaient liés par un immense *We can be Heroes* incurvé, en lettres cursives. Je suis restée bouche bée.

« C'est génial !

— Tu as des tatouages ?

— Ben, non.

— Aujourd'hui, il faut en avoir, sinon tu n'es qu'une bourge, une naze quoi. »

Il a attrapé une photo sur la pile et il me l'a dédicacée au feutre noir :

À la jolie Hélène,
Qui est venue de Paris pour me voir,
Avec toute mon amitié et ma sympathie
David Bowie, Werchter 1997

Il a fait une signature avec une arabesque, et m'a tendu la photo. Au moment où je l'ai prise, il ne l'a pas lâchée, il m'a attirée vers lui. Je n'ai pas bien réalisé ce qui se passait, je me suis retrouvée face à lui, à quelques centimètres de cet homme qui irradiait ; il a avancé son visage, et il m'a embrassée. Oui, il a posé ses lèvres sur les miennes. Et là, j'ai fondu. Littéralement fondu. Il m'a serrée contre lui, j'ai mis mes bras autour de son cou, il m'a soulevée et déposée sur le lit.

— Dis, t'es pas en train de me dire que je suis le fils de David Bowie ?

— Tu sais, j'avais à peine dix-sept ans, et un petit pois dans la tête. Et en face de moi, je n'avais pas un homme normal, c'était David Bowie. Tu réalises ? C'était incommensurable. Surtout que je n'avais jamais eu de relation avec un mec. Pour moi, c'était évident, ils ne m'intéressaient pas. Seules les femmes m'attiraient. Et là, je n'ai même pas eu le temps de réfléchir, j'étais bouleversée. C'était tellement imprévu, tellement exceptionnel. Je dois dire que ce ne fut pas une expérience très agréable. Cela a duré trois minutes, il m'écrasait, il me secouait comme un prunier, j'avais mal, je n'arrivais plus à bouger. Il a crié, et ça s'est arrêté, il avait l'air content. J'ai pensé : David Bowie, c'est pas un bon coup, mais ça n'a aucune importance, non ? On était là côte à côte, nus dans le même lit, il était incroyablement gentil. Il m'a dit qu'il était fatigué, qu'une autre fois ce serait mieux. Il m'a posé des questions sur ma vie, sur ce que j'aimais, et on a parlé longtemps ensemble, comme je n'avais jamais parlé avec personne. Même nu, il était top, beau comme une pochette de disque, quand il souriait c'était un torrent de montagne qui m'éclaboussait, moi j'étais sur une autre planète. Je lui ai demandé si je pourrais suivre la tournée et donner un coup de main, il m'a répondu : «Pourquoi pas.» Il a attrapé la bouteille de calva et on s'est mis à picoler, on l'a descendue en dix minutes, en rigolant. Il me parlait d'un film qu'il devait faire en octobre avec trente jours de tournage, il allait essayer de me brancher dessus, je me disais : Putain, c'est dingue ce qui m'arrive, je suis en train de tomber amoureuse de ce mec ! Vraiment amoureuse de lui ! Ce n'est pas possible, je suis un microbe lunaire, une poussière stupide, et lui c'est une étoile, qu'est-ce qui va se passer ? Il s'est levé et il a attrapé une boîte de chaussures planquée sous le lit, il en a sorti un sachet transparent rempli d'une poudre blanche, qu'il a étalée en long sur la table, il a déchiré un morceau de page de *L'Équipe*, il l'a roulé et il a reniflé une ligne de cinq centimètres, puis il m'a tendu le rouleau. Je n'avais jamais fumé qu'un peu d'herbe, je n'avais jamais touché à la coke, je n'en avais pas vraiment envie, mais je n'ai pas voulu paraître rabat-joie, ou niaise, alors j'ai pris le rouleau, je l'ai collé contre mon nez comme je l'avais vu faire, et j'ai reniflé. Je m'y suis mal prise, car j'ai étouffé ; j'ai essayé de me retenir, mais j'ai éternué, la poudre blanche s'est vaporisée en l'air, j'en avais sur le nez et les lèvres. Il a éclaté de rire.

« T'inquiète, a-t-il dit, ça m'est arrivé aussi la première fois. C'est pas grave, il y en a autant qu'on veut. »

Il a fini le sachet en reconstituant un rail de poudre. C'est à cet instant précis que j'ai entendu une musique que je connaissais, je me suis dit : Bizarre, je ne l'ai pas vu mettre un disque. Il y a eu une clameur de foule, j'ai réalisé que les paroles parvenaient de l'extérieur, tamisées.

« Qu'est-ce que c'est ? ai-je demandé.

— C'est *Rebel, Rebel*. Il commence toujours par ce titre.

— Qui ça ?

— Bowie !

— Mais vous, vous êtes qui ?

— Ben, je suis son sosie.

— Vous n'êtes pas David Bowie !

— Je suis sa doublure lumière et sa doublure costume, on a la même taille à un millimètre près, sauf que moi je suis blond naturellement et que j'ai les yeux bleus, lui il a eu un accident et il a un œil bleu et un œil marron, mais à part ça, on se ressemble comme deux gouttes d'eau. Je fais les réglages son et plateau quand il est en retard comme aujourd'hui, je fais aussi ses dédicaces, cinq cents par jour en moyenne, je suis son homme à tout faire, quoi.

— Mais j'ai cru que vous étiez lui, vous m'avez trompée !

— Je n'ai pas voulu t'abuser, mais c'est la première fois que l'on me prend pour Bowie, la première fois. »

J'étais mortifiée, anéantie. Je me suis rhabillée en vitesse. Je suis sortie. Le vent a fait claquer la porte de la caravane, il pleuvait des trombes d'eau. Je me suis éloignée, j'entendais les hurlements de la foule. Je me suis dit : Je vais quand même profiter du concert et du vrai Bowie. Je me suis dirigée vers la plaine, il y avait un monde hallucinant, une marée humaine ruisselante de dizaines de milliers de personnes. Et au loin, sur l'estrade lumineuse, Bowie s'agitait. De là où j'étais, il paraissait minuscule. Il y a eu un silence. Il a parlé, mais je n'ai rien compris à ce qu'il racontait. Et puis, les premières notes de *Heroes* se sont élevées, et j'ai su à ce moment-là qu'il chantait cette chanson pour moi :

I will be king
And you
You will be queen

J'ai essayé de m'avancer, mais avec cette masse compacte, c'était impossible. J'étais glacée jusqu'aux os, je m'en fichais. Il chantait, et c'était la seule chose importante sur cette terre. Et j'ai chanté cette chanson avec lui, en la hurlant :

We can be heroes
Just for one day
We're nothing
And nothing will help us

Voilà. Tu sais tout. Enfin, la première partie de l'histoire. Donne-moi un peu d'eau.

J'ai rempli le verre, elle l'a pris, les yeux embués, comme si d'avoir évoqué ces vieux souvenirs l'avait ramenée dix-huit ans en arrière. J'ai attendu qu'elle finisse de boire.

— Mon père s'appelle comment ?

— Je n'en sais rien, Paul, je ne lui ai pas demandé, je ne l'ai jamais revu de ma vie et je n'ai jamais essayé de le revoir. Ce fut un accident de parcours. Je ne cherche aucune excuse, j'avais dix-sept ans. J'ai couché avec un seul homme dans ma vie, et cette expérience m'a à jamais coupé l'envie de renouveler l'expérience. Pourtant, j'ai vraiment ressenti quelque chose de fort pour lui. Vraiment. Après, j'ai pensé à lui souvent, et puis…

Léna a haussé les épaules, elle est restée un moment songeuse.

— J'ai toujours eu honte de cette histoire, il m'a fallu longtemps pour surmonter le dégoût et le ridicule, pour trouver la force de régler ce problème avec moi-même, et tu es la première personne à qui j'en parle. Il y a peu, j'aurais été incapable de l'évoquer. C'est pour cela que je ne voulais pas que tu deviennes musicien, que je me suis battue contre cette idée, c'était une peur panique. C'est pour cela aussi que je n'ai jamais apprécié l'ambiguïté dans les relations sexuelles, et que ton petit jeu me déplaisait au plus haut point, parce que cela me renvoyait à de vieilles cicatrices, enfin, c'est pour cela que je t'ai si souvent dit que le plus important dans la vie est de savoir qui on est vraiment.

— Cela n'a plus d'importance aujourd'hui, nous sommes ensemble, c'est cela l'essentiel. Repose-toi maintenant, tu as l'air fatiguée.

— Non, je n'ai pas fini, je veux tout te dire. Tu dois savoir la vérité. Je dois aller jusqu'au bout.

— Tu n'es pas obligée, cela peut attendre.

— Si, il faut que je m'en débarrasse une fois pour toutes.

Léna est restée silencieuse un instant, comme si elle essayait de rassembler ses idées, ou que celles-ci lui faisaient peur et qu'elle hésitait encore à s'exprimer.

— Je ne vais pas te raconter cette période en détail, elle n'a pas un grand intérêt. J'ai vécu des moments compliqués, je marchais sur un fil, et chaque jour ou presque le fil cassait, je collectionnais des petits boulots au noir ou mal payés : serveuse, vendeuse sur les marchés. Personne n'est préparé à vivre une vie difficile. Au jour le jour, mes préoccupations étaient basiques, je devais gagner de quoi me nourrir, j'ai raté quelques repas, j'ai vécu dans des squats, des coins pas reluisants, et puis, coup de bol, un soir de déprime, je croise une copine de lycée ; sa mère est une décoratrice célèbre et elle cherche une assistante pour remplacer celle qu'elle vient de lourder. C'est payé, déclaré, mais il faut être disponible sept jours sur sept vingt-quatre heures sur vingt-quatre. Je m'en fiche, au contraire. Je tombe sur une hystérique qui bosse sans arrêt, passe sa vie en avion, exige que je parle couramment l'anglais, me paye des cours, me réveille en pleine nuit pour m'envoyer chercher un objet à Rome et le livrer à Londres. Ça fonctionne plutôt bien parce que je décide de saisir ma chance, de me battre pour ce job et de faire tout ce qu'elle me demande sans jamais discuter. Elle est contente de moi, mais elle me met à l'épreuve, renouvelle ma période d'essai. Et là, la cata. Toi ! J'ai couché une fois avec un mec, ça a duré trois minutes, et je me retrouve enceinte. Au début, je ne réalise pas vraiment ce qui arrive. J'hésite, je tergiverse, je suis dans le déni, je refuse de faire le test. Quand je me réveille, il est trop tard, j'ai largement dépassé le seuil fatidique des douze semaines. Impossible d'avorter légalement. Je ne peux pas garder cet enfant. Ou je perds mon boulot, et la petite lueur d'espoir qui venait de s'allumer. Et l'autre qui m'oblige à bosser comme une folle. Je suis paumée. Un soir, je me résous à lui en parler, persuadée qu'elle va me jeter. Mais elle passe un coup de fil, me donne une adresse et cinq mille balles. Et en plus, elle me sourit. J'atterris dans une clinique à Roubaix. Avec un toubib ronchon qui accepte de m'avorter à vingt semaines si je signe une décharge; mais il me prévient qu'il y a des risques. Je signe. Il faut payer d'avance en espèces, être discrète, attendre le dimanche. Le matin, je prends les pilules qu'il m'a données, je me retrouve en salle de travail, les jambes en l'air, et là, au bout de deux minutes, la pompe de l'aspirateur tombe en panne. C'est la première fois que ça arrive en dix ans. Il va chercher l'autre aspirateur, et là, c'est le compresseur qui déconne. Impossible de réparer. Il faut cureter, à l'ancienne. Le toubib est furieux, il râle, il s'énerve, malgré l'anesthésie locale il me fait horriblement mal ; il me hurle de la fermer, que ce ne sera pas long, mais j'ai l'impression qu'il me transperce; je me mords la main au sang, et au bout d'un moment, je l'entends s'exclamer : «Putain, il s'accroche!» Alors je hurle : «Arrêtez! Je le garde! Je le garde!» Après, j'ai eu une douleur atroce, à tomber dans les pommes, j'avais envie de vomir mes tripes. J'ai passé une heure à agoniser sur le siège des toilettes, avec le ventre au bord de l'explosion et une nausée à étouffer, mais tu n'avais pas envie de passer, tu avais déjà décidé de m'emmerder, et on est rentré tous les deux à Paris. Dans le train, je me disais : Un enfant, ce n'est pas grave, je vais me débrouiller, je ne serai ni la première ni la dernière. Ma patronne m'a dit : «Vous l'avez voulu, tant pis pour vous, si vous ne faites pas votre travail à cent pour cent, je vous vire.» Je me suis accrochée. Au fond de ce gouffre, il y avait une petite lueur d'espoir, j'étais persuadée que j'allais avoir une fille, je rêvais d'en avoir une, et quand à l'écho on m'a dit le contraire, je me suis dit que je n'avais pas de bol, vraiment pas. Voilà, maintenant, tu sais tout.

*

L'infirmière est passée, elle a dit que Léna devait se reposer et elle m'a demandé de partir, mais ma mère a intercédé pour que je reste encore un peu, et elle a promis qu'on ne parlerait plus. Je lui ai pris la main, et un moment après, elle a fermé les yeux, j'ai cru qu'elle avait fini par s'endormir, mais elle m'a serré les doigts, et m'a souri. On était bien comme ça, tous les deux, dans cet hôpital silencieux, au bout du monde, et si loin de tout ce qu'on avait connu.

Il faisait jour quand une autre infirmière est entrée et nous a réveillés. Elle devait la préparer pour son opération. Elle m'a dit de revenir en fin d'après-midi. Je suis descendu, je me suis assis sur un banc dans la cour, en face d'un parterre de géraniums en fleur. Le ciel était dégagé, la journée promettait d'être belle. J'étais en train de fumer une cigarette quand Stella est apparue ; elle m'a rejoint. Je lui ai répété ce qu'avait dit l'infirmière, qu'on devait attendre le résultat de l'opération. Elle avait une tête fatiguée, elle n'avait pas dû beaucoup dormir non plus.

— Et elle t'a parlé de moi? Enfin, de nous deux. De ce qu'elle va faire?

— Elle ne m'a rien dit à ce sujet. Il vaut mieux que tu en parles avec elle.

— ... Et le toubib t'a vraiment dit qu'il y avait un risque ?

— Il assure qu'ils étaient obligés de l'opérer, qu'ils n'avaient pas le choix.

— Tu ne crois pas qu'on devrait prévenir ses parents ?

— Si on les prévenait, ils ne viendraient pas. Elle, elle ne l'aurait pas fait. Et puis moi, je ne veux pas les voir.

— Tu as l'air crevé, Paul. Si on allait prendre un café ?

Des cafés, on en a pris toute la journée.

On a arpenté Boulogne-sur-Mer, les trois rues commerçantes, les quais, le port de pêche, et quand on arrivait au bout, on repartait dans l'autre sens. Je ne savais pas comment ni pourquoi Léna avait atterri ici, je suis sûr que Stella se posait la question aussi mais on n'en a pas parlé. On traînait, on faisait semblant de s'intéresser aux magasins de souvenirs. On rentrait dans les églises, on en sortait. Et quand l'un de nous deux était fatigué de marcher, on s'asseyait dans un bistrot et on buvait un café. On a fait le tour de toutes les places. Au déjeuner, on s'est tapé un grand plateau de fruits de mer, on en a laissé la moitié, et on a fini deux bouteilles de muscadet. On formait un drôle de couple tous les deux. Les serveurs nous prenaient pour une mère et son fils en goguette.

Ils n'avaient pas tout à fait tort.

On a poireauté trois heures dans la salle d'attente avant de réussir à voir le chirurgien. On l'a attrapé entre deux portes, il était assez jeune et pressé. Il ne pouvait rien dire. Elle avait subi un triple pontage ; sur le plan technique l'opération s'était déroulée le mieux possible et avait duré presque cinq heures, maintenant Léna se trouvait en unité de soins intensifs, où elle resterait au moins deux jours, sans qu'on puisse l'approcher.

Le soir, à l'hôtel, j'ai parlé à Stella, je lui ai raconté l'histoire de Léna. J'avais hésité, mais il n'y avait pas de raison de lui cacher ce qui s'était déroulé dix-huit ans plus tôt, et puis ce n'était pas un secret d'État.

— Bon sang, quand je pense que c'est à cause de ça qu'elle n'a pas voulu que tu fasses le conservatoire, c'est dingue.

— Laisse tomber, je ne suis pas Liberace, je suis très heureux derrière mon piano.

— Que vas-tu faire ? Tu vas partir à la recherche de ton père ?

— Je n'en sais rien, jusqu'à ce jour il ne m'était pas indispensable. Lui, il ne sait même pas qu'il a un fils, et moi il ne m'a jamais manqué. Apparemment, on arrive à se passer d'un père. Peut-être que le moment est venu pour nous de nous découvrir. Peut-être pas. Ce serait sans doute une rencontre amusante. Mais comment procéder ? Si tu as une idée, je suis preneur. Comment on fait pour retrouver un type dont on n'a ni le nom, ni le prénom, ni l'âge, ni la nationalité, et dont on ne sait pratiquement rien ?

— Si tu contactais la société de production, ils pourraient peut-être t'aider ?

— Et je demande quoi : comment s'appelait la dou-blure de Bowie ? Il faudrait qu'ils existent toujours, qu'ils aient gardé leurs archives et qu'ils veuillent bien me répondre, cette histoire remonte à près de vingt ans.

— Tu te rends compte que tu as failli être le fils de David Bowie ?

Stella a commandé deux Cointreau. Le serveur a apporté des verres à liqueur et les a remplis. Stella a trempé ses lèvres dans l'alcool, et s'est mise à sourire.

— À quoi tu penses ? ai-je demandé.

— À rien.

— Mais si, il y a quelque chose qui te fait marrer.

— Je me dis qu'avec des géniteurs pareils, tu étais mal barré.

Et elle a éclaté de rire. Elle ne pouvait plus s'arrêter. Elle essayait de se retenir, la main sur ses lèvres, mais dès qu'elle me regardait, son rire redoublait. J'ai fini par l'imiter, on n'arrivait plus à se contrôler. On en avait les larmes aux yeux. Autour de nous, les gens souriaient de nous entendre.

Normalement, dans notre situation, on n'aurait pas dû rigoler, mais dans cette histoire rien n'était normal.

*

Le lendemain, ils ne nous ont pas laissés voir Léna. Dans la matinée, elle avait fait une complication pul-monaire, ils ont été obligés de la réintuber, il paraît que c'est fréquent après ce genre d'intervention, sur-tout chez les gros fumeurs. Elle devait rester dans un environnement stérile, ils craignaient une infection nosocomiale, ils allaient la garder plus longtemps que prévu en soins intensifs. Le toubib a dit que ça ne servait à rien qu'on reste dans le couloir et qu'il nous ferait prévenir dès qu'on serait autorisé à la voir. Stella lui a demandé s'il avait bon espoir quand même, il a répondu qu'il ne pouvait pas se prononcer. On s'est retrouvé dehors, sans savoir quoi faire, ni quoi se dire. On a pris encore des cafés, on a fini par accoucher d'une solution boiteuse qui ne convenait ni à l'un ni à l'autre, mais on n'a pas trouvé mieux. On a combiné une garde alternée de quarante-huit heures autour de Léna. Stella est repartie à Paris, car elle avait mille choses à organiser. Je l'ai accompagnée à la gare, j'ai fait à nouveau le tour des rues commerçantes, des plages et du port, je n'avais strictement rien à faire dans ce bled où il n'y a strictement rien à faire après six heures du soir.

Dans la Grand-Rue, j'ai trouvé une boutique de téléphonie avec accès Internet, je me suis installé devant un écran et j'ai commencé à fouiller, cherchant une trace qui m'amènerait à la doublure de Bowie ou à la société de production de ses spectacles en 1997. Trois heures plus tard, je n'avais rien découvert de solide, les références les plus anciennes dataient de 2002. J'ai relevé les noms de neuf sociétés qui apparaissaient, sans pouvoir déterminer ce qu'elles faisaient avec précision. Quatre avaient disparu de la liste des abonnés en Angleterre, j'ai pu contacter cinq numéros.

Je n'ai pas dû bien m'y prendre. Déjà, mon vocabulaire anglais est limité, mais en plus je ne comprenais pas la moitié des réponses, obligeant mes interlocutrices à répéter. Je ne suis pas sûr qu'elles aient toutes saisi ce que je demandais, toujours est-il que l'une a été désagréable et m'a raccroché au nez, une autre m'a mis en attente et la ligne a fini par couper, une troisième m'a expliqué qu'ils ne s'occupaient pas de musique mais de logistique, une autre encore m'a dit d'écrire, quand j'ai demandé à qui, elle a répondu qu'elle ne savait pas, et la dernière m'a informé qu'ils géraient des sites web, et que c'était triste qu'il soit mort si jeune.

Stella et moi, on passait deux jours sur place à tour de rôle. À mon retour, elle m'a dit qu'elle avait failli mourir d'ennui à plusieurs reprises. On se retrouvait au buffet de la gare, on échangeait les infos, il n'y en avait pas trop. Léna luttait contre une pneumonie et avait fait un œdème au niveau de la jambe, mais le traitement semblait fonctionner, sa température s'était stabilisée. Le huitième jour, les nouvelles étaient rassurantes, on a été autorisé à pénétrer dans sa chambre. Pas plus d'un quart d'heure, et une personne à la fois.

L'infirmière a précisé que ce n'était pas une malade facile.

Avec Stella, on s'est regardé, et on a pensé en même temps que Léna était sur la voie de la guérison. Stella a hésité, a dit que ce serait préférable que j'entre le premier. Léna avait la peau grise et ridée, des cernes noirs sous les yeux et les cheveux raides, elle paraissait avoir dix ans de plus, elle avait des hématomes sur les bras à cause des perfusions. Je lui ai dit qu'elle n'avait pas mauvaise mine, et lui ai demandé comment elle se sentait.

— Je vais crever dans cet hôpital, si je ne peux pas fumer une clope. Et l'autre là, l'infirmière-chef, c'est une vraie conne.

D'un côté, je savais que c'était inutile, absurde même, d'envisager de la raisonner, de l'autre, j'étais ravi de la voir retrouver sa bonne humeur naturelle, je me suis dit que le mieux, dans son état, c'était de ne pas la contrarier.

— Tu sais quoi ? Il paraît que je dois aller en convalescence dans une maison de repos pendant un mois ou deux.

— Après ce que tu as eu, c'est ce qu'il faut pour récupérer.

— Il n'en est pas question !

— C'est un mauvais moment à passer, mais ce n'est pas si long. Après, tu seras complètement rétablie, tu pourras reprendre une vie normale. Écoute, je dois sortir, Stella est dehors, et on ne peut pas être deux avec toi.

— Je t'en prie, ne bouge pas. Je ne veux pas rester seule avec elle.

J'ai essayé de la convaincre du contraire mais il n'y a pas eu moyen de la faire changer d'avis. Stella a fini par rentrer. On a parlé de la chambre qui était grande et confortable, de la vue qui était jolie, de l'air marin qu'on sentait quand on ouvrait la fenêtre, de la cuisine qui n'était pas si mauvaise que ça, des programmes télé qui n'étaient pas terribles en ce moment. Et puis, l'infirmière-chef a rappliqué et a râlé parce qu'on ne l'avait pas écoutée, elle nous a mis à la porte. Stella était contente, elle trouvait que Léna remontait la pente ; je n'ai pas osé lui dire qu'elle avait imaginé ce subterfuge pour ne pas rester en tête à tête avec elle. C'était mon tour de retourner à Paris. Deux jours plus tard, quand je suis revenu à Boulogne, Stella avait l'air sombre, on était à peine assis à la cafétéria de la gare qu'elle m'a interrogé :

— Que faites-vous quand vous êtes ensemble ?

— On parle.

— Tout le temps ?

— Parfois, on regarde la télé.

— Moi, quand j'arrive et que je lui demande comment elle va, elle répond qu'elle est épuisée. Elle ferme les yeux, et elle dort, ou elle fait semblant de dormir. Et on ne se dit plus un mot de l'après-midi. Elle ne te parle jamais de nous deux ?

J'ai secoué la tête. Stella était au bord des larmes. Je n'ai même pas tenté de lui remonter le moral, je n'avais pas envie de mentir. Il n'y avait qu'une bonne nouvelle : grâce au certificat médical de l'hôpital, Nathalie avait obtenu du juge une levée provisoire de son contrôle judiciaire. Et puis, la toubib a demandé à nous voir, Stella et moi. Elle nous a reçus le lendemain. Le séjour de Léna à l'hôpital arrivait à son terme mais elle rencontrait un problème majeur, et qui ne s'était jamais produit. L'infirmière-chef avait trouvé dans la Somme une place dans une maison spécialisée dans la réadaptation des grands cardiaques, avec prise en charge à cent pour cent ; dans son état c'était une quasi-obligation, cela lui permettrait d'être suivie par des spécialistes, nutritionnistes et kinés, de faire une rééducation appropriée et une foule d'examens, mais Léna refusait d'y aller, même peu de temps. Elle lui avait expliqué longuement les risques auxquels elle s'exposait si elle s'en dispensait mais, d'après elle, c'était comme parler à un mur. Elle ne pouvait pas l'obliger à y séjourner, mais elle déclinait toute responsabilité si elle ne suivait pas ses recommandations. Elle nous a demandé notre aide pour la convaincre.

Avec Stella, on a essayé. Tour à tour, puis ensemble. Avec et sans gants. On ne s'est pas énervé, enfin je ne me suis pas énervé, parce qu'au bout de cinq minutes de discussion, Stella lui a balancé qu'elle était toujours aussi chiante ; le ton est monté, Léna s'est butée comme une enfant gâtée : pas question, je n'irai pas, je suis en super forme, les toubibs font ça pour s'en mettre plein les poches, la seule chose qui me fera du bien, c'est de ne plus les voir et de reprendre une vie normale. J'avalerai leurs pilules, je ferai peut-être un peu de gymnastique, c'est tout, et vous commencez à me les casser.

Il ne fallait pas la prendre de front.

Il aurait fallu biaiser, parler de choses et d'autres, l'amener progressivement à formuler qu'il n'y avait pas de meilleure solution que d'aller un mois dans ce centre de convalescence, mais on s'y est pris comme des moufles, on était fatigué, ou on n'avait plus envie de ruser, se disant qu'après tout Léna était adulte, alors qu'en réalité ma mère n'était qu'une vieille adolescente courant après son ombre. On aurait dû réfléchir avant, parce qu'on savait au fond de nous qu'on partait perdant et qu'on n'arriverait jamais à la faire changer d'avis. Ce ne serait pas la première fois, mais ce serait peut-être la dernière, et on s'en voulait d'avoir été si peu malins.

Léna a signé la décharge, sans la lire. Elle s'est habillée, on est descendu faire un tour dans le jardin, elle m'a demandé d'aller au kiosque acheter *Moto Revue*. Stella et elle se sont assises sur un banc, elles ont commencé à discuter. Je les observais de loin, elles avaient l'air détendu de deux copines qui papotent, ça a duré une bonne demi-heure, puis Léna s'est levée et a laissé Stella seule. Léna est remontée prendre ses affaires dans sa chambre, je l'ai aidée à les ranger dans des sacs en plastique. Je lui ai demandé comment ça se passait avec Stella, elle a répondu que je n'avais qu'à lui demander. Je l'ai accompagnée au bureau des admissions, elle a signé des papiers, elle a fait appeler un taxi, elle a dit qu'elle me donnerait des nouvelles dès que possible. On est sorti de l'hôpital, on a attendu deux minutes, son taxi est arrivé, elle est montée dedans et il s'est éloigné. Je suis retourné à l'intérieur de l'hôpital, Stella n'avait pas bougé, je me suis assis à côté d'elle.

— Qu'est-ce qu'elle a dit ? ai-je demandé.

Stella regardait devant elle, elle a haussé les épaules et n'a pas répondu. On est passé à l'hôtel récupérer nos affaires et régler la note. On est allé à pied à la gare, on avait raté le TGV de peu, on a pris un Inter-cités, ça a été interminable. J'espérais que Stella me rapporterait leur conversation, mais elle n'avait plus envie de parler. Il n'y avait pas besoin qu'elle me fasse un dessin.

*

Comment allait-on faire pour vivre ensemble?

Dans cette situation, qui peut me donner le mode d'emploi?

On se sépare, on s'obstine?

Cette question est venue me transpercer en pleine nuit. J'avais une boule coincée dans la poitrine, je n'ai pas pu me rendormir. Je n'imaginais pas comment on pourrait poursuivre l'aventure avec Léna dressée entre nous, il fallait que ça s'arrête, que je m'en aille, que je me cherche un boulot ailleurs – comment pouvait-il en être autrement? À chaque fois que Stella me regarderait, elle ne pourrait pas ne pas penser à Léna, ça allait devenir intolérable pour elle. Peu importaient les treize ans de vie commune, il y avait des choix qui s'imposaient à nous, malgré nous, on resterait toujours amis, mais de loin. Je me suis levé à six heures et demie, j'étais crevé. Je me suis préparé un café très fort. Je savais que Stella me laisserait le temps nécessaire pour me retourner, ce n'est pas ça qui m'inquiétait, c'est que tout allait se disloquer et disparaître, et qu'après ce serait le vide, comme si rien n'avait jamais existé entre nous. J'attendais que le café passe quand Stella est apparue en traînant les pieds, elle avait une tête épouvantable. Elle a posé son bol sur la table, et s'est assise. Je lui ai servi du café, on a attendu qu'il refroidisse un peu en soufflant dessus.

— Dis, Paul, tu ne vas pas partir?

— Je ne sais pas, c'est à toi de me dire. Tu veux que je reste ?

— Tu es chez toi ici. C'est chez nous, tu comprends. À nous deux.

Voilà. Le méchant poids s'est envolé. La vie a repris son cours sinueux.

Je ne sais pas combien de temps ça va durer, quelques mois, quelques années, mais pour l'instant ça roule, on est bien tous les deux. Avec elle, il n'y a jamais de problèmes. On ne parle jamais de Léna. Même si elle est là, tapie quelque part entre nous. Dans notre tête. Comme si elle était morte trop jeune, et qu'on ne soit pas allé au bout de la vie qu'on aurait dû avoir ensemble, mais on n'est pas triste non plus. On plaisante, on rigole comme avant, on boit des coups, on vit. Au resto, personne ne dit rien. Les voisins ne font aucune remarque, la concierge non plus. Stella a annoncé qu'elle allait fermer définitivement le *Studio* et liquider la société. Léna a disparu, comme par enchantement, de nos vies à tous. Peu de temps a passé, et je dois dire que j'y pense moins.

C'est sidérant la vitesse d'effacement.

Pas encourageant pour nous le jour où nous ne serons plus là.

Sauf quand je vois une fille avec un tatouage, bien sûr, et quand il est beau, je me demande si ce n'est pas elle qui l'a dessiné, et ce qu'elle fait aujourd'hui, et si elle pense autant à nous qu'on pense à elle, malgré tout.

*

Une aiguille dans une montagne de foin. Comment trouver un homme dont on ne connaît pas le nom, qui ne sait pas que vous existez et à qui vous ne manquerez jamais ? Je n'en avais aucune idée. D'interminables recherches sur Internet n'avaient rien donné. Après la séquence avec ma mère, j'avais décidé de ne pas envahir Stella avec mon géniteur énigmatique. Seulement, dès qu'il y a un conflit à l'horizon, de préférence en rapport avec l'enfance, forcément pernicieuse, Mélanie rapplique en frétillant avec sa psy de choc. Il faut dire que j'ai un autre problème que je n'ai jamais réussi à résoudre. À chaque fois que je rencontre quelqu'un qui demande par politesse : «Comment ça va ?», je réponds sérieusement. Le soir où elle est venue dîner au resto, je n'allais pas bien, je faisais des variations à n'en plus finir sur le thème de Camille du *Mépris* ; quand elle a posé la question rituelle, j'ai dit la vérité, mais avec elle, j'aurais mieux fait de m'abstenir.

— Est-ce que tu as vraiment envie de retrouver ton père ?

— Oui, je crois.

— Tu crois, ou tu en es sûr ?

— Oui, j'aimerais bien le connaître.

— Qu'est-ce que tu as à faire d'un type qui te reprochera d'exister ?

— Là, tu exagères.

— Tu n'as pas compris qu'un père ne sert à rien. Strictement à rien. À la rigueur, à ramener du pognon à la maison. Sinon, c'est une engeance nuisible, qui passe son temps à t'empêcher de faire ce que tu veux, et à pourrir la vie de ta mère. Dans la quasi-totalité des espèces animales, les femelles l'utilisent uniquement pour la procréation, après elles se débrouillent seules pour élever la marmaille. Peux-tu me dire à quoi ils servent, à part se gratter le nombril, vautrés sur le canapé en sifflant des canettes et en regardant leurs matchs à la con ? Est-ce que ton absent de père t'a manqué dans ta jeunesse ?

— Pas vraiment.

— Ta mère ne l'a-t-elle pas remplacé avantageusement ?

— Ben si.

— Et avec Stella, vous ne formiez pas une vraie famille ?

— Si, mais ma mère s'est barrée je ne sais pas où. Alors je me dis que j'ai bien le droit d'avoir un père, après tout. Ce n'est pas pour rattraper le passé, c'est pour vivre un peu mieux aujourd'hui.

— Mouais, je comprends.

*

Il faudrait un miracle pour que je le retrouve.

Et les miracles, comme me l'a expliqué Caroline, qui s'y connaît depuis qu'elle a vécu en Italie, c'était juste du marketing avant l'heure, une astuce pour faire cracher les couillons au bassinet. Elle me remonte le moral, mais je suis plus que pessimiste sur mes chances de tomber dans ses bras. Peut-être que lorsque je le verrai, je serai horriblement déçu, c'est certainement un abominable crétin, un beauf qui profère des âneries énormes, mais dans le halo du doute, il me manque et je commence à faire une fixette. Alors je bosse. En plus de ma ration quotidienne de trois McDo, je m'appuie deux visites en agence bancaire à la recherche d'une assurance habitation. Je ne donnerai pas le nom de la banque, il ne vaut mieux pas. Je me dis qu'un jour ou l'autre, Stella risque de changer d'avis et souhaitera que je parte, et même si elle ne demande rien, je ne vais pas m'incruster toute ma vie, il va bien falloir que je saute le pas, que je m'installe chez moi, et il faudra que j'aie les fiches de paye qui le permettent.

Alex et Jason se sont installés en ménage dans un petit appart à Gambetta, comme deux tourtereaux. Je pensais que, tôt ou tard, la nature perverse de Jason remonterait à la surface et qu'il finirait par se révéler sous son vrai jour, mais apparemment il a changé.

Est-ce qu'on peut changer ?

C'est lui qui m'a appelé samedi soir au resto, car il avait eu une idée géniale pour retrouver mon père. Il n'a pas voulu m'en faire part par téléphone et je me suis pointé chez eux dimanche midi. On s'est assis autour de la table basse, il a débouché une bouteille de rosé.

— La seule chose qu'on sait sur ton father, c'est qu'il ressemble à Bowie. Enfin, il y a dix-neuf ans il lui ressemblait comme une goutte d'eau. Alors, je me suis dit que peut-être il gagnait sa vie en faisant le sosie de Bowie. Il y a plein de spectacles comme ça en province. Cet été à Arcachon, on a vu le sosie de Sardou, le mec, il chantait mieux que le vrai.

Ce n'était pas idiot comme idée. Pourquoi pas ? Et puis, on n'avait pas d'alternative. Tout d'un coup, le moral est remonté en flèche. On s'est mis à chercher les sosies de stars sur Internet. Jason a fait le Web français, Alex et moi, l'anglais. Il y a une foule d'agences spécialisées, mais aucune ne proposait un Bowie. Il y a aussi beaucoup de sosies qui bossent en direct, qui ont leur propre site, certains faisant même plusieurs vedettes. On a cherché, en notant tout minutieusement pour ne pas se faire déborder. Nous avons été stupéfaits de constater à quel point la ressemblance n'était pas le premier critère pour imiter une vedette.

Il faut juste rêver très fort qu'on sera capable de le faire.

Au bout de trois heures, on avait relevé quinze Cloclo, cinq Cabrel, deux Aznavour, vingt-cinq Johnny, un qui faisait Lama et Dutronc alternativement, un Freddie Mercury, un Tino Rossi, onze Elvis, huit Michael Jackson, je passe sur la tripotée de Dion, Piaf et Dalida. Mais zéro Bowie. Après, on s'est focalisé sur les boîtes de transformistes, je n'aurais jamais cru qu'il y en avait autant, et sur les cabarets, à Paris, en Espagne, en Belgique, dans toute l'Europe. Même en Suisse. Rien ! Ils proposent toutes les vedettes possibles et imaginables, mais pas un seul Bowie. À croire qu'il est inimitable. Désespérant.

— Si on ne le trouve pas, cela ne veut pas dire qu'il ne l'imite pas, a dit Alex. C'est peut-être juste parce qu'il n'est pas répertorié, ou qu'on est passé à côté.

— J'en ai marre, a conclu Jason. Si on allait au cinéma ?

Si Jason Rousseau a accompli de réels progrès dans les relations humaines, il a par contre un goût exécrable pour les films. Malheureusement, Alex l'a soutenu, je me suis dit qu'ils avaient été sympas avec moi, faisant de mon problème leur problème, essayant de m'aider dans ce moment difficile, je les ai donc suivis sans râler.

Ils étaient ravis de voir un film catastrophique dans lequel la Californie était rayée de la carte par un tremblement de terre terrifiant, suivi d'un tsunami monstrueux qui dévastait et tuait tout sur son passage, sauf les oiseaux bien entendu. Ils n'étaient pas les seuls à apprécier ce nanar monumental, la grande salle était bourrée. Quand les lumières se sont rallumées, nous avons piétiné pour sortir. Sur l'écran, défilait l'interminable générique, ils s'étaient mis à plusieurs centaines pour accoucher de ce navet. À cet instant précis, il y a eu une sorte de remue-ménage au fond de mon cerveau et un coup de gong, une terrible excitation m'a parcouru, un éclair a jailli du fond de ma tête, et je me suis écrié :

— Putain, le générique !

*

Léna n'avait pas dit grand-chose d'utile, sauf un truc auquel je n'avais pas prêté attention. Mon géniteur était la doublure lumière de Bowie. Peut-être l'avait-il été dans les films où Bowie avait joué ? Il suffisait de vérifier. À cette époque, il avait tourné trois films, qui n'ont rien ajouté à sa gloire et sont passés inaperçus.

Chez Alex et Jason, on a aussitôt interrogé une base de données américaine, où sont accessibles tous les génériques de la terre. Dans ces trois films, la même personne était créditée comme doublure lumière : un nommé Gabirel Ibarresteguy. En quelques clics, on venait d'obtenir l'identité de mon paternel. Par contre, quand on a entré son patronyme dans Google, puis dans d'autres moteurs de recherche, on a obtenu zéro résultat. Bien sûr, il n'existait, et pour cause, aucune photo de cet individu.

Est-il possible aujourd'hui d'échapper à la Toile, et de ne pas obtenir une seule réponse ?

Était-ce son vrai nom ou un pseudonyme ? On a cherché dans les annuaires téléphoniques en France, en Espagne, en Angleterre et dans une dizaine de pays européens. C'est un nom peu répandu, on a trouvé seulement un Agustin Ibarresteguy qui habitait à Anglet, à côté de Biarritz, et un Ibarestégui qui se pré-nommait Denis et vivait à Vénissieux. Aucun des deux n'était référencé sur des moteurs de recherche.

J'ai appelé Stella, je lui ai expliqué, elle m'a dit : « Vas-y. » Alex a voulu m'accompagner et a proposé qu'on descende avec la voiture de son père, Jason a trouvé que ce serait sympa mais je n'avais pas envie de les avoir sur le dos. D'après lui, ça ne servait à rien d'aller à Lyon, mais je me disais : On ne sait jamais, il n'y a pas que l'orthographe.

Le lendemain, j'ai pris le TGV pour Lyon, un taxi m'a déposé à la Cité des musiciens, devant un immeuble austère des années 60. Ibarestégui figurait sur la boîte aux lettres, l'ascenseur était en panne, je suis monté à pied au quatrième étage, j'ai sonné. Un homme râblé d'une soixantaine d'années, chauve et mal rasé, bedonnant, pieds nus et portant un maillot délavé de l'Olympique lyonnais, m'a entrouvert la porte, me dévisageant d'un air méfiant. J'ai expliqué que je cherchais un homonyme répondant au doux prénom de Gabirel, il m'a dévisagé comme si j'étais un alien; du fond de son appartement provenaient les éclats de rire d'un jeu télévisé. Il m'a déclaré qu'il n'avait besoin de rien, et il a refermé la porte avant que j'aie pu réagir. J'ai sonné en vain pendant dix minutes, tambouriné sur le battant, mais il n'a pas rouvert. J'entendais l'écho de sa télé, d'autres télés aussi. Comme j'avais son numéro de téléphone, j'ai appelé, j'ai entendu la sonnerie résonner dans son appartement. Je me suis approché de la porte, je lui parlais à travers et lui me répondait dans son téléphone, j'ai pris une voix suave, le priant de m'accorder deux minutes, mais il a raccroché en disant une grossièreté. Mes autres appels ont atterri sur sa messagerie.

Je me suis assis dans l'escalier, attendant qu'il apparaisse; des résidents m'ont enjambé, aucun n'a demandé ce que je faisais là. J'ai sonné encore, frappé, téléphoné, cela n'a servi à rien. En entendant le jingle du journal télévisé du soir, j'ai abandonné, démoralisé. De toute façon, ce n'était pas le bon.

Dans l'interminable train de nuit qui m'amenait à Biarritz, j'ai reçu un appel d'Alex. Les nouvelles n'étaient pas bonnes. Il avait réussi à contacter une des sociétés de production d'un des films de Bowie à Londres, les deux autres avaient disparu. Après de longues palabres, il avait pu s'entretenir avec une responsable qui était assistante à l'époque, elle ne se souvenait de rien sur la doublure de Bowie, seulement que le metteur en scène était le roi des nuls, qu'ils avaient eu les pires problèmes de dépassement, et qu'une partie de l'équipe était camée. D'après elle, on ne trouverait rien dans leurs archives, et de toute façon, ils n'avaient pas de temps à perdre avec cette histoire.

Agustin Ibarresteguy avait quitté son pavillon d'Anglet depuis trois ans, son tuteur l'avait revendu à un couple qui m'a donné l'adresse de la maison de retraite de Bidart où il résidait aujourd'hui. La directrice de la résidence m'a expliqué qu'Agustin ne se souvenait plus de grand-chose, vivait au jour le jour, et ne reconnaissait même plus ses deux filles, dont une qui habitait à Dax venait le voir une fois par mois. Elle n'a pas voulu me donner ses coordonnées sans lui demander son accord ; quand elle lui a téléphoné, sa fille a accepté de me parler. Elle m'a raconté qu'elle n'avait pas de frère, que son père était fâché avec sa famille depuis toujours pour une raison qu'elle ignorait ; longtemps elle avait posé des questions, puis elle avait laissé tomber, chez eux ils avaient la rancune tenace, elle n'avait jamais connu ses parents du côté paternel.

C'est fini, c'était ma dernière cartouche, et elle a foiré.

Je ne suis pas doué pour jouer les enquêteurs ; c'est usant, on croit toucher au but, mais dès qu'on approche, il s'éloigne à toute vitesse, on entend monter un ricanement intérieur, et tout s'écroule en mille morceaux. Il est possible que j'aie un lien avec la famille paternelle d'Agustin. Peut-être pas. En tout cas, cette branche n'existe nulle part. Au buffet de la gare, où je suis allé prendre un café ce matin, j'ai trouvé cinq annuaires, des Pyrénées-Atlantiques et des départements environnants, il n'y a qu'Agustin de répertorié. J'ignore si un jour le hasard ou la chance me fera croiser le chemin de mon père mais j'en doute. De toute façon, moi j'arrête. Si ça se trouve, il se la coule douce à Key West ou en Patagonie, ou il est mort il y a longtemps, seul dans son coin, et tout le monde l'a oublié, sauf moi qui ne le connais pas, qui ne l'ai jamais vu, qui n'ai jamais entendu le son de sa voix. Et l'image de Bowie vient me parasiter. Je ne sais plus si je vois mon père ou son sosie. C'est lui et ce n'est pas lui à la fois. C'est assez con de ressembler à Bowie finalement, il vaut mieux ne ressembler à personne. J'ai vécu dix-huit ans sans me préoccuper de son existence, il faut que je continue.

Je prends un bain de soleil sur la plage du casino, il fait un temps paradisiaque, les gens se baignent, s'amusent sur la plage, j'aurais dû prendre mon maillot de bain. Il y a plein de surfers dans l'eau mais il n'y a pas de vagues. Ce voyage n'aura pas été inutile, j'ai découvert le béret basque. Pas la galette noire qu'on se pose sur la tête mais la génoise au chocolat dont je me gave. C'est la troisième que j'avale, c'est tellement bourré de ganache au Grand Marnier que je vais avoir du mal à m'en enfiler une quatrième. Je ferme les yeux, le soleil m'enveloppe. J'ai l'impression de voguer sur l'eau. Mon téléphone sonne. Un numéro inconnu.

— Allô, Paul, c'est Léna.

Enfin, elle donne signe de vie. Je n'aurais pas cru qu'entendre le son de sa voix me toucherait autant.

— Il y a un bruit épouvantable. J'entends des cris d'enfants.

Je lui explique pourquoi je suis à Biarritz, comment j'ai probablement retrouvé le nom de mon père, l'espoir insensé que j'avais en venant ici, et la déroute que je ressens maintenant, la chape de plomb qui retombe. Léna ne fait aucun commentaire. Juste un : « Mouais. »

— Et toi, comment vas-tu ? je demande. Tu es où ?

— En Angleterre. Je vis à Londres avec Yamina. Je fais attention à moi, je me suis mise à la cigarette électronique, je marche pas mal aussi ; tu vois, je ne me laisse pas aller. Je voudrais ouvrir une boutique de tatouage, mais c'est compliqué. Quand on sera installé, tu pourras venir nous voir, si tu veux, pour l'instant, on a des problèmes à régler.

— Quels problèmes ?

— Oh, rien n'est simple, surtout en ce moment. Je n'ai pas envie d'en parler. Si tu as besoin de me joindre, maintenant tu as mon numéro.

Je sens une réserve dans sa voix, des hésitations inhabituelles.

— Que se passe-t-il ?

— Bon, je te laisse, dit-elle.

Il y a un blanc, et elle raccroche.

*

La vie a repris, je fais ce que j'aime faire avec plus de plaisir encore, je joue. Tous les soirs. De plus en plus de musiques de films, parce qu'on les interprète peu, et qu'il y a des pépites, des morceaux pleins de grâce, de couleur et de charme, mais ce n'est pas facile de trouver les partitions. Les clientes ne voient aucune différence, certaines lèvent la tête de leur assiette, me demandent qui chantait cette rengaine qui évoque de vieux souvenirs, elles sont surprises quand je dis que c'est un thème de Delerue ou de Sarde, elles connaissent vaguement les films, mais pas les compositeurs. C'est comme ça.

Stella n'a pas résisté longtemps. Dès mon retour, j'ai dû faire un rapport détaillé de mon déplacement à Lyon et à Biarritz, j'ai évoqué l'impasse dans laquelle je me trouve. Elle n'a fait aucun commentaire, juste : «Cela ne m'étonne pas.» Je lui ai parlé de ma décision d'arrêter les recherches, elle a dit que j'avais raison, qu'on vivait toujours mieux dans l'ignorance. De toute façon, je n'ai pas le choix. Je n'ai pas évoqué l'appel de Léna. À quoi ça servirait de remuer le couteau dans la plaie ? Elle espère toujours son retour.

Stella n'a pas touché aux affaires de Léna, ni dans les armoires, ni dans la salle de bains.

Ce matin, j'ai trouvé une grande enveloppe en papier kraft à mon nom dans la boîte aux lettres. Je ne reçois pas souvent de courrier. Une carte postale de Venise de Hilda de temps en temps, c'est tout. J'ai tout de suite reconnu l'écriture penchée de Léna. Il y avait un timbre à l'effigie de la reine d'Angleterre. J'ai décacheté l'enveloppe, j'en ai extrait une photographie. C'était la photo couleurs de David Bowie en Aladdin Sane, avec la zébrure rouge et bleu, et la dédicace que mon père avait faite à ma mère en juillet 97. La photo était racornie, gondolée, déchirée par endroits, les couleurs avaient un peu passé. Je ne comprenais pas pourquoi Léna me l'envoyait. Et puis, je l'ai retournée.

Au dos, elle avait écrit : «Gabriel Olano, *La Paimpolaise*, quai de la République, Conflans-Sainte-Honorine.»

Papa Was a Rolling Stone

J'ai commandé une crêpe tandoori et une bolée de brut, c'est un mélange un peu bizarre, mais j'en avais envie, ça faisait un temps fou que je n'avais pas mangé de crêpes. Dans le temps, Stella en faisait quelquefois, et puis elle a renoncé car Léna piquait une crise dès qu'elle apercevait la crêpière. Présentement, l'arrivée de cette crêpe exotique se fait attendre. *La Paimpolaise* n'est pas un établissement chic, sa décoration est typique du bas breton tardif, comme les photos sépia début de siècle qui parsèment les murs, avec leurs villageoises engoncées, aux coiffes hautes et brodées, et les paysans avec des chapeaux ronds, figés devant des chevaux malingres. Ce n'est pas la foule non plus. On est sept : quatre pompiers bruyants, un couple de retraités et moi. Il doit y avoir plus de monde le week-end. Le service n'est pas terrible. Si j'avais à le noter sur une échelle de 10, ce serait 1, mais aujourd'hui je suis dans un rôle inconnu. En entrant, personne pour vous accueillir. Je m'en fiche, parce que j'ai tout de suite aperçu David Bowie qui officiait derrière les plaques de cuisson. Avec maestria. À croire qu'il est né à Saint-Malo ou rue du Montparnasse. Il porte un tablier blanc sur lequel il y a marqué *Chef* en lettres rouges. Cela m'a fait un drôle d'effet de le voir, mais je n'ai pas été plus surpris que ça. Un David Bowie amaigri, les pommettes saillantes, les traits rétamés d'un homme qui a trop tiré sur la corde et a fait des nœuds avec, des poches sous les yeux, et un sourire lézardé. Je l'ai salué, il m'a dit de me mettre où je voulais. Je me suis installé derrière la baie vitrée, avec vue sur la Seine, j'ai attendu qu'un serveur ou une serveuse se pointe. Un des pompiers l'a interpellé, il avait l'air d'un habitué :

— Hé ! Gaby, il est pas là Patrick aujourd'hui ?

— Non, il est malade, enfin il avait des trucs à faire à Paris. Comme il n'y a pas beaucoup de monde, c'est pas grave. Vous voulez quelque chose ?

— L'addition, il faut qu'on retourne à la caserne, on a un exercice cet après-midi.

Gaby, puisqu'il se surnomme ainsi, a préparé l'addition, il l'a déposée sur leur table, et m'a donné un menu. Les pompiers ont fait des calculs pour répartir l'addition entre eux, ils ont laissé l'argent sur la table et sont sortis. Gaby a servi deux cafés aux retraités qui étaient pressés parce qu'ils ne voulaient pas rater la séance. Il est venu prendre ma commande, puis il est retourné derrière ses plaques.

— Deux minutes, c'est prêt. Je suis seul aujourd'hui.

— J'ai tout mon temps.

— Ah non, il n'y a plus de gaz ! C'est la poisse aujourd'hui !

Il a disparu sous le comptoir pour voir ce qui se passait, il a réapparu, tout rouge, l'air énervé.

— Il y a une coupure. Ils font des travaux sur la place. Désolé, je ne peux pas faire de crêpes, vous ne voulez pas une grande salade ?

— Pourquoi pas ?

— Une niçoise, peut-être ? Ah non, y a plus de thon, on n'a pas été livré. Ce n'est pas moi qui m'occupe des salades d'habitude. Je peux préparer une salade composée, avec plein de trucs.

— Ce sera parfait.

Il est passé côté cuisine pour préparer la salade. Je ne savais pas comment me présenter à lui, j'allais devoir lui rappeler son passé, vieux de dix-neuf ans, et ce qui s'était déroulé à un certain festival belge en juillet 97.

C'était loin, non ? Allait-il s'en souvenir ?

Comment le prendrait-il ? D'autant qu'il n'avait pas l'air de bonne humeur. Peut-être vaudrait-il mieux remettre cette révélation, attendre un moment plus propice, mais comment savoir quand ce serait le bon moment ? Il a déposé un immense saladier sur la table, il y en avait au moins pour trois.

— J'ai mis des noisettes et des raisins secs. J'espère que tu aimes ça. Tu veux boire quelque chose ?

— J'avais demandé une bolée. De brut.

— Ah oui.

Je trouvais un peu bizarre qu'il me tutoie, il me confondait sans doute avec un autre client. Il a pris une bouteille de cidre et un bol par-dessus le comptoir, il m'a servi, puis il a attrapé une bouteille de calva.

— À la tienne, Paul.

Je me suis immobilisé, me demandant si je ne venais pas d'être victime d'une hallucination auditive. Il a dû remarquer mon trouble.

— Léna m'a prévenu que tu allais venir, je t'attendais.

Il s'est assis en face de moi, a rempli un verre de calva.

— Tu en veux ?

J'ai fait oui de la tête. Il a versé l'alcool dans ma bolée, il a pris une cigarette dans la poche de son tablier, a oublié de m'en proposer une.

— Elle était en relation avec vous… avec toi ?

— On a toujours été en contact.

— Mais elle ne m'a jamais parlé de toi ! Elle m'a dit qu'elle ne t'avait pas revu depuis ce concert en Belgique, qu'elle ne connaissait même pas ton nom.

— C'est moi qui ne voulais pas, qui lui ai demandé de ne rien dire.

— Mais pourquoi ?

— Écoute, je ne vais pas te raconter ma vie en détail, ce serait un peu long, et elle n'a pas beaucoup d'intérêt. Toute cette histoire, c'est un coup de putain de l'existence, on n'a pas eu de chance. Excuse-moi de m'exprimer si brutalement, mais c'est la vérité. Je suis gay, tu comprends, et aussi loin que ma mémoire remonte, je l'ai toujours été. Avec ta mère, je ne sais plus ce qui s'est passé, j'étais bourré et j'avais trop sniffé, c'est la seule fois de ma vie que j'ai couché avec une femme, et d'après ce qu'elle m'a raconté, de son côté, c'est pareil. Tu te rends compte qu'elle m'a vraiment pris pour

296

Bowie ? Tu n'imagines pas l'état dans lequel on était ce soir-là. On ne touchait plus le sol. Moi, je ne voulais surtout pas d'un môme, je n'avais pas la fibre paternelle, je n'étais pas programmé pour ça. Tu n'as rien perdu avec moi, je n'aurais pas été un bon père. Léna a voulu te garder ; c'était son choix, pas le mien, je l'ai aidée comme j'ai pu. C'est moi qui lui ai fait rencontrer le tatoueur de Bowie, qui l'a embauchée comme assistante. À l'époque, j'étais dans le circuit, ça allait bien. C'est plus tard que les problèmes ont commencé.

— Quels problèmes ?

— Ceux qui arrivent quand on fait le mariole, et puis qu'on dévisse sans s'en apercevoir, qu'on renonce et qu'on devient dépendant. Ta mère est la seule personne qui m'ait jamais aidé, la seule amie que j'aie sur cette terre. Malgré toutes les conneries que j'ai faites, elle ne m'a jamais laissé tomber. Sans elle, je ne sais pas ce que je serais devenu. Clodo probablement. Elle m'a toujours eu à la bonne. Si j'ai acheté ce rade, c'est grâce à elle, je n'ai jamais pu la rembourser. Léna c'est une fille bien, le pognon elle s'en fout.

Gaby a fini son verre de calva, sa main tremblait un peu, il s'est resservi.

— La vérité, c'est que tu n'arrives pas le bon jour. Non, vraiment pas. En ce moment, c'est la panique, je n'ai pas besoin de toi en plus. Mon copain s'est barré cette nuit, un petit con qui me fait tourner en bourrique. Il se prend pour un chanteur de rock mais, de mon temps, on n'en aurait pas voulu pour les chœurs. Il a quoi… cinq ans de plus que toi, il pourrait être mon fils ; il se fout de moi, mais je l'ai dans la peau, ce petit salaud, je suis méchamment accroché, et si je ne le retrouve pas, je vais crever. Tu entends ? Je vais me foutre à la flotte. Et je ne sais pas nager.

Gaby s'est levé. Il a sorti de sa poche un trousseau de clés.

— Tiens, c'est pour toi.

— Qu'est-ce que c'est ?

— Je te file la crêperie. C'est mon héritage. C'est normal que ça te revienne, tu es mon fils, et c'est ta mère qui a tout payé. C'est un bon business, une crêperie, tu sais, et ce n'est pas compliqué. Longtemps, ça a bien marché, mais depuis quelques mois, je m'en suis moins occupé, et Patrick a horreur des crêpes, il a fait fuir la clientèle. Oh, il n'y a pas que lui, il y a les travaux dans le centre qui ont foutu le bordel, la météo de merde, et les jeunes aujourd'hui ils n'aiment plus les crêpes, ils ne bouffent que des pizzas ou leurs saloperies de hamburgers. Ce n'est pas facile mais il faut s'accrocher, hein ? Toi, tu vas y arriver, j'en suis sûr.

— On va se revoir quand même ?

Il a fini son verre cul sec, il a jeté son mégot dedans, a haussé les épaules et mis le trousseau de clés dans ma paume. Il m'a souri, il a enlevé son tablier qu'il a balancé sur une chaise, il a pris sa veste, et il est sorti. Je l'ai vu qui s'éloignait le long du quai, et il a disparu.

*

J'ai attendu longtemps qu'il revienne. Il n'est pas revenu. J'étais dépité. J'ai fermé la crêperie, je suis retourné à Paris. J'ai retrouvé Alex et Jason, je leur ai tout raconté, ils n'en croyaient pas leurs oreilles. On en a discuté toute la nuit.

À la fin, je n'étais pas plus avancé.

Je suis rentré, il était tard. Je voulais en parler avec Stella, avoir son avis, mais elle n'était pas là. Le matin, quand je ne l'ai pas vue au petit déjeuner, je suis allé frapper à la porte de sa chambre pour la réveiller car elle a tendance à se rendormir après avoir arrêté la sonnerie de son réveil. Il n'y avait personne, le lit n'était pas défait. Ça ne lui était jamais arrivé de découcher. Je n'avais rien à dire.

Le soir, au resto, elle m'a retenu au moment de la fermeture :

— Je crois que je ne rentrerai pas ce soir.

— Stella, tu n'as pas de comptes à me rendre.

— Je sais, mais je te préviens quand même. On s'en prend une dernière ?

Elle est passée derrière le comptoir, j'ai grimpé sur un tabouret, elle a servi deux coupes, on a trinqué.

— J'ai rencontré quelqu'un.

— Ah bon.

— Tu l'as peut-être vue, elle est venue ici quelque-fois, elle est hôtesse de l'air.

— Je n'ai pas fait attention.

— Elle bosse dans une compagnie low cost, c'est bien aussi, mais ce n'est pas pareil. Elle s'appelle Johanne. Un de ces soirs, j'aimerais te la présenter.

— Ce ne sera jamais un problème entre nous.

— Je suis contente que tu le prennes comme ça. Tu comprends, à un moment il faut choisir : soit la vie s'arrête, soit elle continue.

— Au fait, tu étais au courant pour la crêperie ?

— Quelle crêperie ?

*

Ça doit être ça la vie, elle continue malgré nous, sans ceux qu'on aime, et qui poursuivent leur route de leur côté, en nous abandonnant au bord du chemin. Peut-être que c'est ça devenir adulte, on avance seul, sans plus personne sur qui compter. Léna a émigré, et Stella ne veut plus entendre parler d'elle. Quant à mon père, ça a été un mirage.

Est-ce que je vais reprendre son affaire ? Je n'y connais rien, j'hésite, je ne me vois pas en commerçant. Mélanie me dit que j'ai tort, que c'est une chance inespérée de me lancer. Elle m'a expliqué que, même si ça ne me plaisait pas, les fils finissent toujours par prendre la place de leur père : « C'est obligé. C'est pour ça qu'il y a autant de problèmes. » Elle a ajouté : « En général, les fils pataugent beaucoup, à toi au moins il a laissé la recette. » Alex et Jason me poussent à accepter, ils ont promis de venir me donner un coup de main le week-end. Caroline aussi. Elle a eu une idée sympa. Une piano-crêperie. D'après elle, qui s'y connaît en marketing, surtout dans ce coin, ça ne peut pas ne pas marcher. « Et il faudra faire des hamburgers et des pizzas aussi, aujourd'hui c'est obligatoire. »

On y est allé tous ensemble, on s'est fait des galettes de sarrasin. Jason, qui s'y connaît, nous a expliqué comment procéder, ce n'est pas trop difficile, même si je n'ai pas encore le coup de main : je suis un autodidacte de la crêpe. Quand je suis avec eux, la vie me semble plus facile, mais il a fallu se séparer, chacun est rentré dans sa coquille. Je vais écrire à Hilda, elle s'ennuie à mourir à Venise, il n'y a rien à faire le soir, elle rêve de revenir à Paris. Je vais lui proposer qu'on s'associe. Moi, je m'occuperai du piano, et elle de la crêperie.

À moins que je ne continue ma vie actuelle… elle me plaît bien, je ne me vois pas tant que ça devenir crêpier, il va falloir que je me décide.

Je me dis qu'un jour ou l'autre, Gaby va réapparaître, qu'on aura alors le temps de faire connaissance, de discuter un peu.

Comme un fils avec son père.

Enfin, je crois.

Moi, j'aurais préféré qu'on reste tous ensemble, qu'on essaye de former une sorte de famille. Il faut croire que ce n'était pas possible, il faut vivre chacun seul dans son coin. On ressemble à des petits wagons qui cherchent désespérément à former un convoi, on fait une partie de la route ensemble, et puis à un aiguillage plus attirant qu'un autre, on se déroute, on se sépare, on forme un nouveau convoi jusqu'à la prochaine erreur d'aiguillage. Nous sommes comme des trains solitaires qui foncent dans la nuit, sans savoir ce qui nous attend au prochain tournant, s'il y aura une barrière ouverte, ou un obstacle, si nous réussirons à le franchir, ou si nous bifurquerons, si nous déraillerons, ou si nous échapperons à la sortie de route, il faut juste continuer jusqu'au moment où on rentrera en gare, et où on restera à quai à jamais.

« L'amour n'est que le roman du cœur,
c'est le plaisir qui en est l'histoire. »

Beaumarchais

Programme musical